現代の行政

新版[第2版]

modern public administration

森田 朗　*Akira Morita*

第一法規

第2版まえがき

　初版の「まえがき」の冒頭に「現代は、変化の時代である。これまで存在しなかった問題が次々と起こり、これからも予期せぬできごとが発生する可能性が高い。まさに不透明で、不確実な時代といってよいだろう。」と書いたが、それからわずか3年後に、文字通り新型コロナウイルス感染症の大流行という「予期せぬできごと」が発生した。

　コロナ禍は、発生から1年半経っても収束せず、世界の国々がそれへの対応に苦悩している。航空機による大勢の人の移動が当然となり、インターネットで世界の多数の国々と繋がるようになった21世紀という時代に、人類は、それまでに経験したことのなかったようなパンデミックに遭遇しているのである。

　初版で指摘したように、近年20年くらいの間に、わが国の社会はそれまで経験したことのなかった変化に直面してきた。それは、まず第1に、少子化による人口の減少である。人口減少は、第二次世界大戦後のわが国の社会の基盤を変えた。すなわち右肩上がりの成長や拡大を前提とした社会の終焉であり、それはそれまでの社会の仕組みや制度の変更を余儀なくした。

　他方、21世紀になって急速に普及したITも、私たちの生活を一変させた。コロナ禍の下でテレワークもオンライン授業も、この技術がなければ不可能であった。正にニューノーマルを可能にする変化であった。

　人口減少にせよITの発展にせよ、歴史的にみれば急速かもしれないが、現在の生活感覚からすると緩やかな変化である。他方、コロナ禍は、私たちの生活様式を突然大きく変えるものであった。私たちは、感染を防ぐために、外出を控え、人と人との接触を減らさざるをえない状況に突然置かれ、急にこれまでの制度や仕組みが使えなくなった。それは、当然に、「社会の基盤をなす行政の仕組み」にも大きな変化を強いることになった。

　第1に、従来の制度が機能不全に陥り、コロナ禍の下での社会に対応できなかった。たとえば、近年の高齢化に伴い生活習慣病を念頭に置いて形成さ

れてきたわが国の医療制度は、未知の感染症に対応できなかった。今後、大幅な改革が必要となるであろう。

　第2に、これまで安定した時代には意識されなかった国家や行政の役割が顕在化した。感染症への対応は、まず国民の生命と健康を守ることであり、そのためには本書でいう「社会管理」を的確、迅速に実施することが必要である。そこで、人権を尊重する民主主義社会における管理者としての"行政"のあり方が問われることになったといえよう。すなわち、話し合いと協調、議論と同意を超えた、国民に行動変容を起こさせるような"公権力"のあり方が課題として浮上してきたのである。

　第3に、IT革命がもたらしたSNS（ソーシャル・ネットワーク・サービス）を介したコミュニケーションの多元化、増大、容易さが、行政にインパクトを与えるようになった。

　多様な国民の意見や状況についての情報が行政機関に直接大量に寄せられるようになり、国民と行政機関との双方向的なコミュニケーションが非常に容易になった。他面、行政に対する批判や「炎上」、フェイクニュースによる混乱なども発生するようになった。その結果、秩序あるコミュニケーション環境を形成し維持していくという新しく重要な役割が、国家に課せられることになってきたのである。

　このように、コロナ禍によって現実の社会は新たな課題に直面し、従来の社会状況や制度を前提とした考え方は見直すことが必要となってきた。

　初版の「まえがき」で述べたように、本書は、行政学の初学者を対象として書かれている。本書では、現在の社会と行政の理解に役立つような情報を提供することに努めたが、現行制度の単なる解説ではなく、むしろこれまでの行政に関する制度の基底にある、歴史的に積み上げられてきた理念や考え方を説くことに力点を置いている。

　制度は、前提とする社会状況の変化によって変わるが、基本的な理念や考え方は、長期にわたって貫かれ、多くの地域や長い歴史の過程を経て蓄積されていくものである。コロナ禍によって、従来の制度の前提が大きく変わり、これからの社会のあり方が不透明な今こそ、基本をしっかりと学んで直面す

る課題への応用力を培って欲しい。

　このまえがきを執筆した時点で、新型コロナウイルス感染症はまだ収束していない。早い収束を祈っているが、収束ののち、コロナ禍への政府の対応のレビューが行われるであろう。そこで新たな行政学上の発見が得られたときには、改めて本書を改訂することにしたい。

2021 年 9 月

　　　　　　　　　　　　　　　　　　　　　　　　　　　　森田　朗

まえがき

　現代は、変化の時代である。これまで存在しなかった問題が次々と起こり、これからも予期せぬできごとが発生する可能性が高い。まさに不透明で、不確実な時代といってよいだろう。

　社会はますます複雑になり、その全体像を知ることは難しい。IT は、20年前には想像もできなかったほどに、社会の情報化を進めた。われわれは、かつては遠くの図書館に出かけて情報を調べなければならなかったが、今では手元のスマートフォンで簡単にそれ以上のさまざまな情報を入手することができる。こうした技術は、これからの社会のあり方をどのように変えていくのであろうか。

　他方、わが国の人口は2008年をピークとして減少しはじめた。今後この傾向は長期にわたって続くと予想されている。人口減少は、果たしてこれまでの社会のあり方にどのような変化をもたらすのであろうか。とくにかなり以前から始まっていた少子化が生産年齢人口を減少させるとともに、他方では高齢者の増加により社会保障負担が拡大する。厳しくなる一方の財政状況から脱出するには、どのような改革が必要とされるのであろうか。

　このような変化の兆候を挙げていけばきりがないが、先行き不透明な時代にあって、これまでの社会の基幹的な諸制度や行政の仕組みは機能不全に陥りつつあるといえよう。こうした時代に求められるのは、課題を解決し新しい環境に適した制度の設計であり構築である。

　社会を支える制度や政策の大半が行政機関の活動によることから、現在の課題の性質を理解し、解決策を考案していくためには、このような社会の基盤をなす行政の仕組みを学ぶことが重要である。

　本書は、このような意図に基づいて、これまで行政について学んだことのない者に、行政とはどのようなものか、いかなる考え方に基づいて制度が作られ、どのような原理に従って現実の行政活動が展開されているのか、を解説した行政学の教科書である。

私は、1995年に放送大学用の教科書として、『現代の行政』を、そして2000年にその改訂版を出版した。これらの教科書は、その後、初学者用の教科書として長年にわたって使用された。しかし、改訂版を出版後15年以上経ち、上述のように、社会も変わり、行政のあり方も変化した。これらの教科書がいかに普遍的なことを説いていたとしても、今日の現実の行政を理解し、最新の行政学を学ぼうとする者には適していない。そこで、その後の変化も加えて書き改めたのが本書である。

　本書では、現在の社会と行政の理解に役立つ情報を提供することに努めたが、多くの教科書や解説書にみられるような現行の制度の解説や現状の分析ではなく、むしろ現在の制度の基底にある、歴史的に積み上げられてきた理念や考え方を説くことに力点を置いた。制度は、前提とする社会状況の変化によって変わるが、基本的な理念や考え方は、長期にわたって貫かれ、多数の地域や長い歴史の過程を経て蓄積されていくものであるからである。

　とくに、現代の行政制度やその運用は、非常に複雑である。それらは長い歴史を経て形成されてきたものであり、その基本的な構造を理解するためには、人間というもの、社会というもの、制度や権力というものについての深い洞察が必要といえよう。今日、さまざまな政治の動きや政策がメディアで取り上げられ、われわれは日々それらについて議論をするが、そこでわれわれの目に触れる政治ないし行政とは、氷山の一角であって、それを支える水面下の部分を理解することが大切なのである。

　このような考え方に立って、本書では、(1)行政の前提にある社会についての認識や理論、考え方、(2)それに基づいて形成されている制度の基本的メカニズム、(3)変化する社会環境に応じて制度を運用していく行政活動、すなわち行政機関の組織的活動、そして(4)発生する課題への対応と新たな制度形成の方法に焦点を当てて考察することにした。

　本書は、前述のように、放送大学で用いた教科書をベースに、その後の現実社会および行政学の発展の成果を加えて書き改めたものである。あくまでも対象としている読者は、初めて行政学を学ぼうとする者である。本書を通して行政および行政学に関心をもたれた読者は、これを機会として、末尾の

参考文献リスト等を参考にさらなる学習に励むことを期待したい。

　また、大学において1学期15回の講義を念頭に置いて15章構成とし、入門書としてできるだけ薄くし、エッセンスだけを盛り込んだ。それゆえ、本書の内容は、行政学を学ぶ上で必要最小限の情報であるといってよく、本文中の注記も省いた。そのため、本書を教科書ないし参考文献として使用する場合には、適宜現実の世界から具体例を選んで補完していただきたい。

　いずれにせよ、行政学は座学によって理論だけを学んでも面白くなく、また実際の役には立たない。日々報じられる現実社会のできごとに、理論や考え方を当てはめることによって、学習することが大切である。とくに、本書で述べていることを念頭に置いてメディアを批判的に読むことによって、社会を、行政を正しく考察する目を養ってほしい。本書がそのための視座を提供することができれば、著者としてそれ以上の喜びはない。

2017年3月

森田　朗

目次

第2版まえがき …………………………………………………………… i
まえがき ………………………………………………………………… iv

第1章 「行政」とは何か？──現代国家における行政活動

第1節 現代の行政 …………………………………………………… 1
第2節 行政活動の例 ………………………………………………… 3
第3節 行政分析の枠組み …………………………………………… 8

第2章 行政国家の成立

第1節 社会構造の変化と行政の発展 ……………………………… 15
第2節 近代国家の成立 ……………………………………………… 18
第3節 行政国家の成立 ……………………………………………… 20
第4節 福祉国家の実現とこれからの国家 ………………………… 22

第3章 行政学の発展

第1節 行政学の誕生 ………………………………………………… 27
第2節 行政学の発展──政治行政分断論 ………………………… 29
第3節 行政学の展開──政治行政融合論 ………………………… 32
第4節 行政改革の理論 ……………………………………………… 35

第4章 現代の政府体系

第1節　政府体系の構造……………………………………………… 45
第2節　中央と地方…………………………………………………… 48
第3節　議会と行政府………………………………………………… 51
第4節　行政統制と参加 ……………………………………………… 55

第5章 内閣制度と国地方関係

第1節　日本の内閣制度……………………………………………… 59
第2節　戦後の社会の変化と政治体制の評価……………………… 63
第3節　行政改革と内閣機能の強化………………………………… 66
第4節　地方制度と分権改革 ………………………………………… 70

第6章 官僚制

第1節　官僚制の理論──マックス・ウェーバーの官僚制論…………… 77
第2節　ウェーバーの官僚制論の理解……………………………… 80
第3節　組織論の展開………………………………………………… 83

第7章 現代組織論

第1節　決定と情報…………………………………………………… 87
第2節　組織における管理…………………………………………… 89
第3節　組織の病理…………………………………………………… 96
第4節　官僚の心理と行動…………………………………………… 99

第8章　日本の行政組織

第 1 節　日本の行政組織の特徴……………………………………………… 103
第 2 節　決定の方式——府省間調整………………………………………… 106
第 3 節　行政組織の改革……………………………………………………… 111
第 4 節　独立行政法人………………………………………………………… 117

第9章　人事管理と財務管理

第 1 節　日本の公務員制度…………………………………………………… 121
第 2 節　官僚の人事システム………………………………………………… 123
第 3 節　予算と財務管理……………………………………………………… 127
第 4 節　財政の現状と課題…………………………………………………… 131

第10章　行政と情報技術（IT）

第 1 節　行政における業務…………………………………………………… 137
第 2 節　情報技術（IT）の活用 …………………………………………… 140
第 3 節　マイナンバー制度…………………………………………………… 143
第 4 節　情報技術（IT）活用の可能性とリスク ………………………… 146

第11章　行政活動と政策

第 1 節　行政活動のプログラムとしての政策……………………………… 151
第 2 節　政策の構造…………………………………………………………… 156
第 3 節　政策過程……………………………………………………………… 159

第12章 政策の決定

第1節 合理的政策決定……………………………………………… 165
第2節 合理性の限界と現実の政策決定…………………………… 168
第3節 合意形成……………………………………………………… 170
第4節 調整と計画…………………………………………………… 174

第13章 政策の執行

第1節 政策執行の枠組み…………………………………………… 179
第2節 基準の適用…………………………………………………… 182
第3節 法治行政と行政裁量………………………………………… 186

第14章 政策の評価

第1節 政策評価の考え方…………………………………………… 193
第2節 政策評価の方法……………………………………………… 196
第3節 日本の政策評価制度………………………………………… 201

第15章 行政の課題と行政学の役割

第1節 わが国が直面する課題
　　　——少子高齢化・人口減少・財政危機・コロナ感染症………… 205
第2節 政治行政関係の変化と政治主導…………………………… 211
第3節 これからの行政学——ダウンサイジングによる効率化……… 213

参考文献………………………………………………………………… 218
あとがき………………………………………………………………… 230
索引……………………………………………………………………… 232

第1章 「行政」とは何か？──現代国家における行政活動

第1節　現代の行政

●転換の時代

　わが国は、現在、歴史的に大きな転換の時代にある。これまで太古以来、短期的にはともかく、長期的には継続して増加のトレンドにあった人口が、2008年をピークに減少に転じ、今後は相当長期にわたって確実に減少していく。

　これは1950年代からはじまっていた少子化によるものであるが、2008年までは高齢者の増加によって総人口が増加し続けたため、表面化せず、多くの人が気づかなかった。しかし、これから深刻化する人口減少は、わが国の社会の様相を大きく変えていくであろう。「地方消滅」も決して可能性に留まるものではない。今こそ、これまで拡大、発展を基調にして描かれてきたわが国の将来社会の設計図を、根本的に見直し、書き直さなくてはならない。

　このような変化の時代に、さらに社会の基盤を揺るがすような大きな変化が2020年に起こった。新型コロナウイルス感染症の世界的な蔓延である。20世紀の後半以降、わが国では感染症に対する対策は整備され、医療の課題は高齢化に伴う生活習慣病と考えられてきた。そこに、突然発生したパンデミックは、これまで築き上げてきたさまざまな制度を抜本的に見直すことを求めるものである。

　私たちは、日常的に市役所や役場の窓口で、身近な「行政」に触れる。それは、老後に受け取る年金、医療などの社会保障や保育所の待機児童の問題、ゴミの収集や日々口に入れる食品や薬品の安全性などに関わる問題である。

　しかし、今回の新型コロナウイルス感染症の蔓延によって、私たちは人と

人との接触を減らすという行動変容を要求されるとともに、また保健所を通して、感染者の把握や健康管理、ワクチン接種等が実施され、行政の国民生活への関与は拡大した。

このように、私たちと行政との関わりは、日常生活と密着したものから、少子化対策や感染症対策のように、国全体としての取組みまで多様で幅広い。それでは、これらの行政はそれぞれどのように関連し合っているのか。今必要とされる改革は、身近な行政活動にどのような変化をもたらすのであろうか。あるいは身近な行政活動を維持していくために、私たちは何をどのようにすればよいのであろうか。

このような疑問に答えるためには、現代国家における行政現象の多様性、複雑性を充分に認識し、その基本的な構造や法則を理解することが必要である。しかし、それは必ずしも容易なことではない。現在の行政活動の体系は、かなりの時間をかけて、それぞれの時代の叡智を結集して形成され、発展してきたものであり、しかも、上述のように、今日の社会の変化は激しく、このような行政活動の基礎にある考え方自体が大きく変わりつつあるからである。

●本書の狙い

本書では、このような、変わりつつある現実を念頭に置いて、現代の行政に関わる諸現象を、行政学の観点から考察し、その構造、性質を明らかにするとともに、これからの改革に資する新しい考え方について紹介することにしたい。

この章では、まず具体的な事例として、医療行政、自動車行政、河川行政について概説し、それらを素材として行政現象を分析するための基本的な視点や、行政現象を構成する要素を示し、次章以下の構成を明らかにしておきたい。

第2節　行政活動の例

●行政活動の具体例

　多様で複雑な行政活動について、その共通した性質や問題を論じ、具体的な行政活動に当てはめることができるような理論や思考枠組みを作り、社会に提供するのが行政学の役目であるが、いきなり抽象的な行政学の理論枠組みについて語っても、はじめてこの学問に触れる人には理解しがたいであろう。

　そこで、以下、われわれが日常接することがある三つの行政分野について概説することにより、本書で述べようとしている行政活動のイメージをつかんでもらうことにしたい。

　以下で取り上げる例は、医療行政と自動車行政、そして河川行政である。それぞれ異なる特徴をもっている。

●医療行政

　私たちが病気になったり、ケガをしたときに受ける医療は、国民にとって必要不可欠なサービスである。しかし、治療行為は、手術や服薬のように、われわれの身体にとって危険を伴う行為でもある。

　そのため、ほぼすべての国で、医療に関しては、医師や看護師、薬剤師等医療に従事する者について資格を設け、高度の教育を受け、国家試験に合格しなければ、医療行為に従事できないこととされている。また、医薬品や医療機器等も、国の機関がその有効性と安全性を承認したものでなければ使用してはならないこととされている。

　このように医療に関しては厳しい規制が設けられているが、国民が必要な医療を受けることができるためには、それだけでは不充分である。医療は非常に高額のサービスであることから、一般の商品と同様に必要とする者が市場を通して購入するのであれば、多くの国民はそのサービスを受けることができないであろう。病気にかかれば収入が減るし、収入の少ない高齢者ほど医療に対する需要は多い。

したがって、すべての国民が、必要なときに必要な医療サービスを合理的な価格で受けることができるように、政府は、国民全員が加入する医療保険制度を設けている。国民各自は、毎月保険料を支払い、その代わり病気等で医療を受ける必要が生じたときには、その医療費の大半を保険から支払ってもらうことができる。

　このように医療保険制度を用いることによって、必要な医療をすべての国民に提供できるようになっているのであるが、多数の医療従事者が関わり、多様な治療行為からなり、しかも地域によってそれに対する需要が異なる医療サービスを適正な価格で供給することは、実際には容易ではない。

　こうした複雑な医療サービスを適正に提供するために、世界の国々はさまざまな制度を創っているが、わが国では、規制等によるのではなく、主として経済的誘因を用いた方式を採用している。すなわち、医療サービスの提供を的確に行うために、個々の医療行為や医薬品等について保険が支払う価格を、公定価格として定め、それによって需給の調整を行っているのである。

　こうした経済的な手法による医療サービス提供の調整は、実際には、非常に困難な作業であり、その決定に至るプロセスは、まさに利害関係者が参加する複雑な政治過程である。

　だが、今回のコロナ禍に遭遇して、このような仕組みの限界が露呈した。感染症による患者の急増に対して、迅速に必要とされる量の医療体制を充分に提供することができなかったのである。

　今後は、今回の経験を踏まえて、パンデミックのような緊急事態には、平常時とは異なる緊急時の医療体制へ迅速な転換が可能な制度を形成する必要がある。それは、これまでの医療行政の原則を変更することになるであろうが、そうした仕組みを設けることによって、初めて国民にとって絶対的に必要なサービスを的確に提供することが可能になるといえよう。

●自動車行政

　自動車は、現代では、私たちの生活に欠かせない存在である。それは、私たちの移動にとっても、また私たちが暮らしていく上で不可欠な物資を運搬

する手段としても、必要で便利な乗りものである。

　しかし、金属の塊である自動車が、歩行者が歩くのと同じ道路を高速で走ることは非常に危険であり、現実に毎年自動車が引き起こす交通事故で多数の人が命を失うとともに、財産的損害も発生している。また、排気ガスによる大気汚染も、人々の健康に害を及ぼすことはいうまでもない。

　私たちが、快適な生活を営むことができる社会を創ろうとするならば、このように必要であり便利ではあるが、他面、危険な存在である自動車を、社会的に適切に管理し、その危険性を最少化するとともに、利便性を可能なかぎり引き出さなくてはならない。

　現在のわが国における自動車に関する制度は、このように、自動車を最大限有効に利用し、それがもつ危険性を最少化することをめざして創られている。その内容は多岐にわたるが、主要なものは下記の通りである。

　その第1は、道路交通のルールの制定とその遵守を促す活動である。多数の人や自動車が道路を無秩序に通行することは非常に危険である。そこで、自動車や歩行者は、どのように道路を利用すべきか、そのルールを定め、その遵守を義務付けておく必要がある。ただし、ルールを定めて遵守を促しただけでは、ルールが確実に守られるという保障はない。そこで、警察官によってルールの違反者を取り締まる活動も行われる。

　第2に、運転者の資格に関する規制である。自動車は、高速で走る危険な乗りものであり、それを安全に操作し運転するには、一定の能力が必要である。そこで、現在では、自動車の運転を原則として禁止し、一定の訓練を受け、試験に合格して安全に路上を運転できることを証明した者だけに、運転免許を与え、運転を認める制度が設けられている。

　第3に、道路に関する行政である。自動車交通の安全性は、その上を自動車が走行する道路の状態に依存している。そのため、安全な道路交通が実現するように、道路の条件を整えることも自動車に関する行政の一つである。道路に関する行政には、道路そのものの構造のみならず、広く道路をどこに作るかという都市計画や高速道路網の路線計画等も含まれるといえよう。

　第4に、自動車交通の安全という場合、何よりも機械としての自動車その

ものの安全性が重要である。長期間の過酷な利用にも耐えられる安全性が備わっているか、たとえばブレーキは確実に効くか、衝突時にエアバッグは作動するか、などの点についての性能の確保である。わが国では、まず自動車メーカーが設計・製造・販売する段階で、安全性の基準に適合していることが要求される。

しかし、自動車は使用しているうちに、部品が劣化し、安全性が低下する。そのために、使用開始後、車検制度によって定期的に検査を受けることが義務付けられている。

自動車に関する行政としては、これら以外にも環境規制や保険制度、さらには税制などいくつかある。また、バスやタクシー、運送業のトラックなど、業として自動車運送を行う者に対する事業規制もある。さらに、今後は、電気自動車の普及や自動運転技術の発展によって、その安全基準や事故発生時の責任の問題等についての制度整備が必要となるであろう。

このように、自動車に関しては、そのさまざまな側面について多様な規制が存在している。それらはそれぞれの目的に従って設けられたものではあるが、連携して実施されることにより、はじめて利便性を活かしつつ総合的な安全確保が可能になるのである。

● 河川行政

豊かな水が流れる河川は、私たちの生活や産業にとって欠くことができない。私たちの日々の暮らしにおいて清潔で充分な水は必需品であるし、農業にとっても、また工業においても水は欠くことのできない資源である。

そのため、渇水期にも水が不足する状態に陥らないようにしなければならないが、他方、大雨が降り水量が増すと生じる洪水の危険も回避しなければならない。太古以来、河川をいかに管理し、洪水を防ぐとともに、渇水期に必要な量の水を確保するかは、統治者の大きな任務であった。

現在では、河川管理の技術も発達し、堤防を整備しダムを建設することで、一年中、水量を管理し、安定した水の供給が可能になった。しかし、それでも、想定を超える渇水期には、水不足が生じ節水の呼びかけが行われるし、

豪雨による洪水の被害も毎年のようにある。

　昔は、河川の流量を制御することは難しく、毎年発生する水害に対しては、それを宿命として受けとめ、洪水と共存しようとしてきたが、近年では、河川管理技術の発達によって、流量を適切に管理して水害を防ぐとともに、渇水期にも充分な量の水を確保できるようになった。

　河川管理の方法としては、川の両岸に堤防を築き、流れる水を封じ込めることによって洪水を防ぐとともに、上流にダムを建設し、そこに大量の水を溜めることによって、下流での流量を調整する一方、渇水期には溜めてある水を放流することによって、下流に水を供給している。

　氾濫を起こすことなく河川が安全に流すことのできる水の許容量は、河川の断面積と時間当たりの流速によって決まる。上流の降水によって河川に流れ込む時間当たりの流量がその許容量を超える場合には、氾濫の危険がある。そのため、堤防等を整備する場合には、たとえば百年に一度の確率で発生すると想定される流量に耐えられるように、堤防の高さを設計する。あるいは、断面積を拡大するために、川幅を広げ、河床を掘削する。

　それでも充分でない場合には、途中で他の流路に水を流す放水路を設けたり、一時的に流水を溜めておく遊水池を作る。さらに上流に充分な貯水量をもったダムを建設すれば、渇水期にも安定した水の供給を確保できる。ダムからの放水量を適切に操作し調整することによって、下流の水量を一定に維持することができる。

　河川行政は、国民の行動や生活に直接働きかけるタイプの行政活動ではない。国土という自然環境を対象とした活動である。しかし、社会や国民の生活に長期にわたって大きな影響を与える公共事業を含む行政活動である。

　その建設には、数十年に及ぶ計画と工事の時間がかかる。その後も、常時、降水やその他の自然現象を監視して、いかなる場合にも適正に河川を制御できるように、つねに管理が行われているのである。

　しかしながら、近年、地球温暖化の影響によるものか、大きな被害を発生させる豪雨による洪水が頻繁に発生している。被害を防ぐために、より強化された治水対策が必要とされるとともに、今後は、水害に脆弱な都市構造の

改良を含め、災害に強い社会の形成が重要な課題となる。そして災害を回避できないならば、被害を最少化し、迅速な復旧を可能にする対策も検討すべきであろう。

医療行政、自動車行政、そして河川行政とタイプの異なる行政活動の例を示してきたが、それらも行政活動としては共通する点がある。行政学は、そうした諸々の行政活動に共通した要素を考察の対象としている。

第3節　行政分析の枠組み

●行政現象を捉える視点

前節で示してきた行政活動の例には、行政をめぐるさまざまな論点が含まれており、多様な視点から論じることができるが、その一つは、いかにして必要な医療サービスを必要とする人に合理的な価格で提供するか、事故の危険を最少化しながら、いかにして自動車の利便性を最大限引き出すか、そして、いかにして想定が難しい降水に対し、河川を管理して必要な水の供給量を確保するか、という社会的な課題の解決方法に関する視点である。これは、換言すれば、国民が安心して安全に暮らせるような社会を脅かす種々の要因を取り除くために、望ましい社会的な仕組みはどのようなものか、を考察する視点である。

もう一つは、たとえば国民に大きな負担をかける医療費の決定に当たって、いくつかの選択肢が考えられるとき、どのような手続を経てそれを決定すべきか、多数の選択肢が考えられるとき、その中からどれを選択すべきか、それは行政機関の専門家の判断に委ねるべきか、それとも広く国民の参加を得て合意できる選択肢を採用すべきか、といった政策の決定手続ないし行政機関と国民との関係に着目した視点である。これは、行政活動が国民の観点からみて適切に行われるように、その決定の方法、決定への参加、そして行政活動の監視・統制等に関わる視点ということができよう。

●社会管理の視点

　前者の視点は、行政の機能を、私たちが住む社会の一定状態を維持し、社会をよりよくしていくこと、換言すれば、社会を管理していくことと捉え、そのための行政活動のあり方や技術、方法について考察する視点である。

　これを「社会管理」の視点と呼ぶならば、この機能は、遡れば人類が文明社会を形成して以来、長く支配者の関心事であったということができよう。すなわち、社会の秩序を維持し、災害を防ぎ、生産力を向上させるために社会基盤を整備するといった活動は、その形態は異なるにせよ、古代から現代までつねに社会が存続していくために必要とされてきた活動である。

　もちろん、古代エジプトにおけるピラミッドや中国の巨大墳墓の建設が、現代と同じ意味での行政活動ということはできない。それは支配者の利益や宗教上の目的のために行われたものであり、住民福祉の向上を目的として行われる現代の公共施設の建設や安全のための規制とは明らかに異なっている。しかし、社会管理の技術・方法という視点から眺めたとき、共通する要素は多い。たとえば、それが究極的に主権者である国民の利益のためであれ、あるいは専制君主が国民から収奪するための手段であれ、漏れなく効率的に税金を徴収する方法はどのようなものか、という問題は共通しているのである。

●政治行政関係の視点

　それに対して、後者の視点は、近代民主主義国家を前提とした、比較的新しい考察の視点である。行政活動は、河川管理における堤防やダム等の公共施設の建設にみられるように、行政機関が国民の納めた税を使って行う活動であり、また各種の安全規制にみられるように、国民の行動や権利を制限する公権力の行使を伴うことが多い。近代民主主義国家では、このような行動制限や税の賦課が国民の権利の侵害とならないように、行政活動は国民の代表からなる議会が制定した法律によらなければならないこと、また権利を侵害された国民は独立した裁判所によって救済を受けることができることを原則としている。

　しかし、行政活動の規模がそれほど大きくなかった時代はともかく、次章

で述べるように、行政活動が量的に飛躍的に拡大し、質的に高度化した現代の行政国家においては、行政権の自律性は著しく高まった。そして、行政機関の有する専門能力への依存が高まるとともに、議会や裁判所による行政活動のチェックや統制は有効に機能しなくなった。

その結果、主権者たる国民の意思を政策に結実させる機能である「政治」と、その意思を実現し、実質的な社会管理の活動を行う機能である「行政」との関係が重要な課題として浮上してきた。これは、行政活動への市民参加や国民に対する行政機関のアカウンタビリティの問題でもあり、このような広い意味での政治と行政の関係、すなわち現代民主主義国家における政治と行政、政治家と行政官、あるいは政党と行政組織の関係に注目するのが、ここでいう政治行政関係の視点である。

ところで、これらの二つの視点から捉えられる課題は、いずれもこれまでの行政学の研究で論じられ追求されてきた主要なテーマである。現実の行政の課題は、これらの二つの視点から光を照射することによって、はじめてその全体像を捉えることができるのであり、一つの視点のみからの考察は、文字通り一面的な分析に留まることになろう。たとえば、社会管理の視点からは望ましい政策であっても、それが充分に民意を反映しておらず、国民への行政責任を果たしていない場合には、政治行政関係の視点からは望ましい政策とはいえない。逆に、政治行政関係の視点からは、充分な議論を経て、大多数の国民の支持を得た政策であっても、社会管理の視点からみて執行が困難であれば、その効果は期待できないのである。

新型コロナ感染症対策では、まさにこの点が問題となった。感染を減らすために人と人との接触を減らさなければならず、そのために国民の行動を強力に規制することが望ましい。社会管理の視点からはこのようにいうことができるが、それが民意を反映しておらず、国民の支持を得られない場合は、政治行政関係の視点からは望ましい政策とはいえず、執行は困難であろう。しかし、その場合には、国民の自発的な協力を得られないかぎり、感染抑制の効果は期待できない。

以下の章では、できるかぎりこの両者の視点から光を当てつつ、考察を進

めていくことにしたい。

●行政現象を構成する三つの要素

　ところで、これらの視点からの考察の対象である行政現象は、大別して、次のような三つの要素から構成されていると考えることができる。

　その第1の要素は、行政の「活動」である。先に示した医療行政等の例からも明らかなように、私たちが一般に「行政」と呼んでいる活動の多くは、行政機関が国民を対象として何らかの働きかけを行う活動である。このような活動の種類は非常に多く、その性質も強制力を伴う規制から、国民生活を支えるサービスや資金の給付、さらには情報の提供まで多様なものがある。

　いずれにせよ、このような活動は、社会で発生した、あるいは発生するかもしれない問題を解決し、安全で快適な社会の実現と維持を目的として行われる活動であり、換言すれば、社会という複雑な構造をもつシステムが適正な状態を保つように、現実にその要素に働きかけて制御を行う、まさに「社会管理」の活動である。

　第2の要素は、行政活動を行う主体である行政「組織」である。現代の多くの行政活動は、大規模な行政組織による組織的活動として行われている。「官僚制」と呼ばれる行政組織は、政治過程における強力な政治的影響力をもったアクターであるとともに、それ自体多数の人々が働き、大量の情報が蓄積、処理、伝達されている複雑な組織体である。しかもその組織としての行動は、予算に基づいて行われ、多数の法律・規則等によって拘束されている。

　したがって、その活動が的確かつ円滑に実施されることによって、行政上の目的が達成され、望ましい社会が形成されるといっても、現実に、この複雑な組織活動を一体的、効率的に行うことは容易なことではない。私たちが、行政活動に不満をもつとき、しばしば行政組織が非効率であるとか、その応対が杓子定規で「官僚的である」と批判するが、それはこのような組織活動が円滑に行われていないことに対する批判であることが多い。現代においては、社会構造の複雑化に伴って組織の肥大化が進み、その内部過程の不透明

性が増すにつれて、一方では、行政組織への依存が高まるとともに、他方では、ますます多くの批判が行政組織に向けられている。

　行政組織については、これまで行政学が最も多くの研究成果を蓄積してきており、そこでは行政組織の性質とその病理現象、そして管理のあり方等が論じられてきた。

　第3の要素は、行政組織が位置付けられ、活動の前提となる枠組みを形成している「制度」である。前述のように、現代の行政活動は、民主主義の制度の下で展開され、法治行政の原理に基づき、議会の制定した法律に拘束されている。行政活動を規定する制度には、まずこのような基本的な制度があり、そのあり方は政治行政関係の視点からさまざまに論じられている。

　国民に対して向けられる行政活動の手続や行政機関の権限、国民の責務等を規定しているのも制度である。このような制度の内容と運用のあり方が現実の行政活動を形づくっているのであり、さらに国民の権利や利益救済のための訴訟制度も、現代の重要な行政の制度ということができる。

● 本書の構成

　以上、現代における行政とはどのようなものか、そのイメージを提示し、行政学においてそれを考察する際に重要な二つの視点を示すとともに、行政現象を構成する三つの要素について述べた。

　この三つの要素の関係を図示すれば、図表1－1のようになるだろう。矢印は、それぞれ働きかける主体から客体への作用の方向を示している。すなわち、Aは民主的統制の方向を示しており、上述の基本的な「制度」の機能を表している。民主主義国家において、国民がいかに行政活動を監視し統制できるかは、このような基本的制度のあり方によって規定されている。Bは、行政機関から国民に向けられた「活動」を示しており、社会管理の作用を示している。そして、Cは、行政「組織」の内部における管理を示しており、それが的確に行われて、はじめてBの活動も効果をあげることになるのである。

　本書では、前述のように二つの視点から行政現象に光を当てつつ、これら

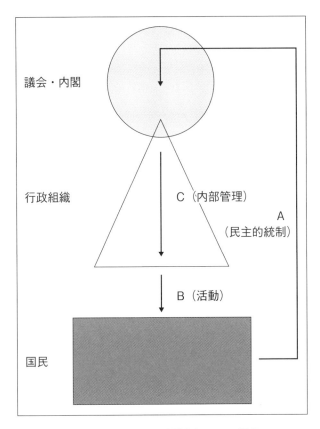

図表１−１　行政現象を構成する三つの要素

三つの要素について、「制度」、「組織」、「活動」の順に考察を進めていくことにする。「制度」は第4章、第5章、「組織」は第6章〜第10章、「活動」は第11章〜第14章で取り上げる。だが、その前に、まず第2章、第3章で行政学の対象である現代行政国家の成立の経緯と行政学の発展の過程について述べておくことにしよう。

第2章　行政国家の成立

第1節　社会構造の変化と行政の発展

　歴史の発展過程では、文明が発達し、社会の構造が複雑になるにつれて、求められる社会管理の手法も高度化し、それに伴って社会管理の主体である政府の役割も増加し、行政組織も膨張していった。

　他方、市民革命を契機として、権力分立の考え方に基づき、それまで行政権を行使してきた君主の権限に対して、市民を代表する議会と独立した裁判所による統制の制度も確立されてきた。議会の制定する法によって、社会の秩序が維持され、行政権が法律上の根拠に基づいて行使される「法の支配」が実現された「法治国家」が形成されたのである。

　しかし、行政活動は、社会構造が工業化、都市化によってより一層高度化し、複雑になるにつれて、量的に拡大するとともに質的にも多様化してきた。そして、20世紀に入ってからは、行政権が、立法権、司法権との関係において、相対的に大きな影響力を保有するようになった。このような現代の「行政国家」が、行政学の対象である。

　この章では、このような「行政国家」が、どのようにして形成されてきたかについて、前章で述べた「社会管理」の視点と「政治行政関係」の視点を念頭に置きつつ考察し、次いで、それがどのような課題を有しているかについて述べることにしたい。

　まず、社会構造が歴史的にどのように変化してきたか、その過程で行政活動がどのように発生し拡大してきたか、を図式的にみておくことにしよう。

●農村型社会

　かつて農業が主要な産業であって、多くの人々が農村に住み、小規模な伝統的共同体（ムラ）の中で暮らしていた時代には、人々の生活に必要な物資の多くは自給され、あるいは共同体の相互扶助によって供給され、地域での生活は閉鎖的で比較的単調なものであった（**図表２－１**）。

　そのような社会では、人々は大家族で暮らしていることが多く、それが共同体の基本的な単位となっていた。そこでは、道路の普請やムラの教会・寺社の管理など、共同体を維持していくための公共的な役務は存在していたものの、それらの供給は地域住民の共同作業として行われており、現代のような政府の行政機関による公共サービスの供給活動としてはほとんど存在していなかったといってよい。

　統治者ないし支配者が行っていた活動は、争いごとを解決するための裁判、治安の維持や徴税、徴兵など限られたものであった。市民革命の以前には、それは地域に住む住民のために行われたというよりも、ときに住民の生活を抑圧しても、統治者ないし支配者の利益のために行われていたといえよう。

　このような社会は、歴史上かなり長期にわたって続いたが、それが大きく変化しはじめたのは、商品経済の発達および工業化によって、一定の限られた地域に多数の人々が住むようになり、各地で都市が形成され、彼らが工場労働者として生活するようになってからである。

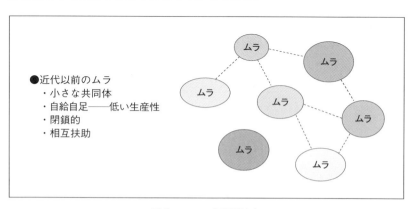

図表２－１　農村型社会

●都市型社会

　工場とは、機械を使って大量に製品を生産する場所である。工業化に伴い、工場で働くために、多数の人々が周辺の農村部から工場の近くに移り住んできた。また、商品経済の発達は、多数の商品の運搬を必要とし、売買や交換の場として一定地域への物資の集積や人の集中を生み出した。

　こうして集まってきた人々が都市で生活していくためには、多くの食糧や物資が必要であり、それはその地域だけでは自給できず、他の地域から運搬してこなければならない。また、原材料の搬入や製品の発送のためにも運搬は必要であり、それを可能にする道路や河川、鉄道等の交通手段が整備されなくてはならない。それらの整備の多くは、地域住民の共同作業や民間企業がなしうる規模の作業ではなく、行政機関によって実施されなければならない活動である（**図表2－2**）。

　また、都市という限られた地域に大勢の人間が住むためには、多数の住宅が必要であり、快適な住環境を形成するためには、都市計画を策定し、それに基づいてまちづくりを行う必要がある。これらも、行政機関によって実施されなければならない活動である。

　さらに都市に移り住んできた人々は単身者ないし核家族であることが多

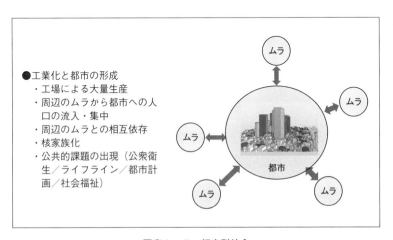

図表2－2　都市型社会

く、農村社会で相互扶助の機能を果たしていた大家族や共同体は存在していない。そのため、そのような共同体が果たしていたさまざまな公共的な役務の提供も、行政機関が担うことになる。

このように社会の都市化が進み、社会構造が複雑になるにつれて、行政機関が担わなくてはならない公共サービスの供給、すなわち行政活動は必然的に増加し、その内容も多様化してくる。現代のように、さらに都市化が進み、大都市が形成されるようになると、その活動はもっと大規模で複雑なものとなる。

第2節　近代国家の成立

このような社会構造の変化によって行政活動は拡大してきたが、それでは、行政活動の担い手である国家はどのように発展してきたのか、その役割と責任はどのように認識されてきたのであろうか。

●絶対王政と官房学

17世紀前半の宗教戦争を経て、ヨーロッパのドイツ・オーストリア地域では、絶大なる権力をもった絶対君主が統治を行うようになった。そのような絶対王政の時代に、自国の富国強兵を図るため、君主の家産と考えられていた国民や国土からできるだけ多くの富を生み出すための知識や技術が開発された。

それらの総称が「官房学」であり、今日の行政学の淵源とされている。だが、その中には、幸福促進の名の下に国民生活を細部にわたって統制するための警察学や、今日の行政学のみならず、財政学、行政法学等に関する知識など多様な要素が学問的には未分化のまま含まれていた。

●近代国家と自由放任主義

17世紀から19世紀初頭の市民革命を経て誕生した近代民主主義国家では、これまで統治の主体であった君主の権力を制限する立憲主義が確立され、君

主に代わって立法を行う機関として議会が設けられるとともに、それまで未分化であった統治機能が、立法・司法・行政に分化し、国民の権利の制限や義務の賦課には議会の制定する法律の根拠を必要とするという法治主義が確立されていった。そして、議会で権力を握った市民階級が、君主の制約を受けることなく、自由に経済活動を行うことによって、ますます勢力を増していった。

このような近代国家が最も早く成立したのが、当時、資本主義が最も発達していたイギリスである。そして、この近代国家を支えた理念が『諸国民の富』を書いたアダム・スミス（Adam Smith）に代表される「自由放任主義」である。

それは、国家を発展させるには、「神の見えざる手」に導かれた自由な市場に委ねることが最善であり、自由な経済活動を制約する政府の行政活動はできるだけ少ない方がよい、というものである。このような理念に基づいて運営された国家の形態は「安上がりの政府」（cheap government）と呼ばれている。

●行政活動の拡大

だが、自由な経済活動による資本主義の発展がもたらした工業化の進展は、前節でみたように、社会構造を大きく変えた。すなわち、都市化が進み、経済の規模が拡大し、周期的な経済変動が起こるようになると、それは、不況期に都市スラムの形成や大量失業の発生等の社会問題を新たに生み出すようになった。これらの社会問題は、自由放任主義の理念が説くところとは異なり、市場による自由な経済活動によっては解決されなかった。

また、新たに発生した食品や工業製品の安全性の問題、市場における独占の弊害等も、放置しておいたのでは解決せず、それらの問題を解決するためには、政府による介入――行政活動――がどうしても必要であり、しかもその規模は、「安上がりの政府」の理念に反して、時代とともに、そして資本主義の発展とともに拡大していった。

こうした国家の拡大を引き起こした要因は他にもある。それは、次第にそ

の数を増していった労働者層の政治的影響力の増大である。過酷な条件下で労働を強いられていた労働者は、自分たちの権利を守り、利益を主張するために、次第に団結して政治への参加を求めるようになり、それは、それまで制限されていた選挙権の拡大という形で実現していった。

彼らは、さらに社会主義思想に支えられて、国家に対して自分たちの生活を改善するためのさまざまな政策を要求するようになり、それは労働者を組織した政党を通して政治過程に入力され、次第に実現されていった。

このようにして、行政活動は、その形態においても、また規模においても拡大、多様化の一途を辿り、「安上がりの政府」はやがて政府自らが多くの活動を行う「職能国家」(service state) へと変貌を遂げていったのである。

第3節　行政国家の成立

このように、自由放任主義の理念に反して行政活動は拡大していったが、それでも今日の行政学が対象としている行政国家と比べると、その規模はまだ小さかった。

行政活動の規模をさらに増大させる契機となったのは、一つには20世紀に入って発生した二度の世界大戦と大恐慌という歴史的事件であり、もう一つは、国家は国民に健康で文化的な最低限度の生活を保障しなければならないという福祉国家の理念である。

●二度の世界大戦

20世紀の前半に二度起こった世界大戦は、従来の戦争とは、その規模の点でも、また社会に与えたインパクトの点でも大いに異なっていた。それは、国家が戦争に勝つために、単に軍隊や戦争関連部門だけではなく、利用しうるあらゆる人的、物的資源を動員して総力を挙げて戦った戦争であった。

そのような総力戦を戦い抜くためには、まず、これまで利用されていなかった資源を発掘し、それらを結びつけて活用し、生産力を増強し、敵を上回る軍事力を作り上げなければならない。それには、従来の社会システムを組み

替えて再編成する必要があり、そのために、政府による国民生活の細部にわたる統制が行われた。

このような統制は、戦時において戦争に勝利するという明確な目標が存在したために許されたことであるが、それを実施するには、それまで経験したことがなかった大規模で複雑な行政活動が必要とされたのである。

そして、それを実施する際に考案されたさまざまな行政の制度や手法・技術は、戦争が終結した後も利用可能なものであったし、戦時統制を実施した経験は、それ以後、発動しうる行政活動の潜在的な能力についての記憶として生き続けることになった。

● 大恐慌

戦間期の1929年、アメリカにはじまった大恐慌は世界に拡大していったが、それは、それまでの周期的な経済変動における不況とは根本的に異なる大規模なものであった。

大量の失業者が発生し、産業は停滞し、各国で社会不安が発生した。このときの失業は自然の回復を期待できず、また景気の浮揚も期待できなかった。このような緊急事態に、政府は、直面する課題に対処し、事態のより一層の悪化を回避するために、それまでになかったさまざまな政策を打ち出した。

たとえば、労働運動を承認し、不況にあえぐ産業に対しては大規模な助成を行った。また、政府が自ら大規模な公共事業を実施し、それによって有効需要の創出と失業者の救済を図った。

● 行政国家の成立

このような政府による新規政策の実施は、社会における行政活動の役割を著しく拡大するとともに、行政活動についての認識を大きく変えることになった。すなわち、政府は、社会で発生する課題を解決し、安定した社会状態を消極的に維持するだけではなく、その国民経済を制御し誘導する能力を用いて、より望ましい経済状態や社会状態を積極的に創出する主体として認識されるようになったのである。

なお、このような政府介入による経済状態の制御を理論的に支持したのがケインズ経済学である。これは、従来の均衡財政の考え方とは異なり、不況時に積極的に財政支出を行い、公共部門が有効需要を創り出すことによって、不況脱出が可能であることを示した。それによって、それまで経済変動に対して受動的に対応していた政府が、経済政策を通して能動的に国民経済の管理・制御を行うことができるようになったのである。

　こうして、国家における行政活動の範囲は広がり、活動の内容も多様化し、複雑化した行政活動の担い手たる行政機関は、その規模において著しく拡大するとともに、その業務の内容においても高度に専門化した。そして、それまでほぼ対等であった議会と行政府との関係に変化がみられるようになった。多様化・複雑化し、高度の専門性をもつ行政活動の細部についてまで、議会が立法を行うこと、あるいは行政活動をチェックすることが実質的に不可能になってきたのである。その結果、行政権の比重が増し、議会よりも相対的に大きな影響力をもつようになってきた。

　このように行政権が優越的な地位を占めている国家を「行政国家」というが、それが現代の政府体系においていかなる問題を含んでいるかについては、第3章で述べることとし、次に、さらに行政活動の拡大をもたらした福祉国家の形成について語ることにしよう。

第4節　福祉国家の実現とこれからの国家

　第二次世界大戦後、先進諸国で建設が進んだ福祉国家とは、どのような国家であろうか。その定義は論者によって異なるが、①国家がすべての国民に生存権を保障していること、それを実現するために、②国民経済を管理・制御することによって所得の再分配を行っていること、の2点は、どの定義にも共通して含まれている要素である。

●生存権の保障

　生存権を国家が保障するとは、日本国憲法第25条の表現を借りれば、国

民に対して、権利として「健康で文化的な最低限度の生活」を国家が保障すること、すなわち、かつては個人の責任に委ねられていた国民各自の生活の維持を国家の責務とし、人間としての最低限度の生活を国家がすべての国民に対して保障することである。

　生存権保障の具体的な政策としては、低所得者に対する生活保護、失業者に対する雇用保険、年金制度や医療サービスの保障、そして高齢者や障害者に対するさまざまな福祉サービスの提供等がある。これらのサービスの中には、以前から慈善活動として行われていたものもあるが、全国的に最低限のサービス――ナショナル・ミニマム――をすべての国民に対して国家の責任で保障しようというのが、福祉国家の理念である。

● 所得の再分配

　国家がこのような行政サービスを供給するには膨大な経費がかかるが、それに要する負担をサービスの受給者に求めることは当然できない。それゆえ、福祉国家では、高い所得を得ている者から税を徴収し、それを行政サービス供給の原資にするという仕組みを採用している。これは、高所得者から税を徴収し、低所得者へ再分配していることにほかならない。

　このような再分配は、政府による税の確実な徴収に加えて、前述した政府による国民経済の管理・制御が的確に行われることによって可能となる。福祉国家では、国民経済の全体を政府が管理・制御することによって、国全体として生み出された富を効率的に分配し、すべての国民に最低限度の生活の維持を可能にしているのである。

● 福祉国家を可能にした要因

　このような福祉国家を実現した政治的要因は、前に触れたように、選挙権の拡大によってもたらされた大衆民主主義と、国家による生存権の保障を理念として説いた社会主義思想である。福祉国家の理念の実現を求めて、政治参加を認められた多数の有権者が、その理念の実現を約束した政党を政権の座に就けたのである。

政治的要因に加えて、国民経済を管理・制御するためのさまざまな理論の形成と手段の獲得、すなわち政策に関する理論・研究の蓄積と行政能力の向上もその要因として指摘できるだろう。とくに、人口をはじめ国民生活や経済の状態についての統計データの整備が進んだことが、政策に関する理論や研究を実際の政策形成に活用することを可能にした。それらなくして、精緻な経済政策の策定・実施と所得の再分配は不可能である。
　さらに、主として科学技術の発展によって、相対的に産業の生産性が向上し、経済が成長したことも重要な要因である。国が豊かになり、税収増による財政規模の拡大が可能であったからこそ、国民の大多数に対して、さまざまなサービスの供給が可能になったのである。

● 福祉国家の課題
　このような福祉国家は、第二次世界大戦後、欧米先進諸国を中心に次々と誕生した。日本も、戦後の高度経済成長期を経て、福祉国家と呼びうる段階に到達した。
　しかし、それらの国々が、その後も、国民に対して提供する行政サービスを充実させ、福祉国家として発展を順調に遂げているかというと、必ずしもそうではない。周知のように、1970年代のオイル・ショック以降、経済成長率が低下したのに伴って、福祉国家の道にも陰りがみえはじめ、「新保守主義」と称される思想の下、1980年代以降国家のあり方について根本的な方向転換が試みられるようになった。
　福祉国家が行き詰まりをみせた原因は、要約すれば、福祉国家の理念に支えられた大衆民主主義によって、国民の国家に対する要求がさらなる高まりをみせ、政権についた政党がそれに応えて福祉政策の拡大を図らざるをえなかったこと、増大するサービスの負担を求められた高所得者層に不満が生じ、それが経済成長の源泉である企業家の活力の減退を招いたこと、そして、その負担増の原因の一つとして、サービス供給の担い手である行政組織が著しく肥大化したことも指摘できる。
　このような状態を改善するために、とくに行政活動を縮小し効率化するた

めに、各国で「行政改革」が試みられた。しかし、それによって課題が解決したかというと、必ずしもそうとはいいがたい。

　日本も、1980年代に福祉国家の仲間入りをし、それ以降、医療にせよ、年金にせよ、健康で文化的な最低限度の生活を維持できる手厚い社会保障をすべての国民に保障している。そのことは、世界でトップクラスの平均寿命が示している。

●少子高齢化・人口減少と福祉国家の変化

　だが、1990年代以降経済が停滞するとともに、とくに2000年代に入ってからは、急速な高齢化による社会保障の負担増が国の財政を圧迫し、改革の努力を打ち消している。持続可能な財政を実現するには、さらなる行政改革による効率化に加えて、社会保障を含む財政支出の抑制と、経済成長による税収の増加が必要であるが、現実にはそれを達成することは容易ではない。

　第1に、ますます進む少子化、人口減少が生産年齢人口の減少をもたらすため、経済成長率を高めるためには、格段の技術革新が必要になるが、それは容易なことではない。第2に、有権者の内に高齢者が占める比率が高くなり、高齢者の政治的発言力が増大するため、彼らが受給する社会保障費を削減することも困難である。いわゆるシルバー・デモクラシーの問題である。

　このような状況下で、いかにして持続可能な社会を創ることができるか。より効率的な社会管理の仕組みを考案するとともに、行政制度の合理性を確保するための適切な政治行政関係の構築が求められているといえよう。

●デジタル時代の国家とその課題

　21世紀に入り、情報技術（IT）は格段に進歩した。コンピュータの普及と高速ネットワークの整備によって、社会のさまざまな分野で情報技術の活用、すなわちデジタル化が著しく進展した。とりわけ大量の情報を収集し、高速で処理することが可能になるにつれて、それまでは能力的に処理できなかったビッグデータの解析が可能になり、社会事象の解明ときめ細かいサービスの提供が可能になった。

そもそも福祉国家は、一人ひとり異なる国民の生活の状態に基づいて健康で文化的な最低限度の生活を保障するために、きめ細かく生活の状態を調べ、必要な給付やサービスを提供することをめざしている。それには、国民各自についての膨大な情報を収集し分析しなければならないが、公務員の手作業で行うには、巨額のコストを要する。ITは、それを格段に正確、迅速、安全、効率的に実施することを可能にした。

　他方、こうした個人に関する情報の収集は、それが漏洩したとき、プライバシーを侵害する可能性がある。そこで、情報セキュリティの確保が新たな課題として浮上してきている。

　このようなビッグデータを活用した社会サービスは、公的分野よりも、民間ビジネスの分野で進んでいる。そこでは、たとえばGAFAM（Google、Amazon、Facebook、Apple、Microsoft）と呼ばれる多国籍の巨大プラットフォーマーが、世界中の人々から情報を集め、それに基づきさまざまなサービスを提供している。

　こうしたプラットフォーマーの国境を越えたサービスは、広範なコミュニケーションを可能にし、われわれの生活を格段に便利にした。とくにSNSといわれている情報サービスは、一個人が広く社会に発信することができ、政府への批判を通して、政府に対する民主的統制を行うツールとして一般国民に強力な武器を与えた。

　しかし、それは、同時に、他の国民を批判したり、差別を助長したり、あるいは偽の情報（フェイクニュース）を発信することによって、社会に混乱をもたらすツールとしても使うことができる。

　そのようなツールの濫用については、政府が規制することを期待する声もあるが、政府による規制は、逆に表現の自由や政府に対する批判を封じることになりかねない。他方、国家は、海外の他国のプラットフォーマーに対して規制する権限を有しておらず、その点に国民の権利の保護の限界が存在する。

　グローバル化が進んだ時代に、国境を越えた情報流通の秩序をどのようにして確立するか。それは、新たに国家に課せられた課題といえよう。

第3章 行政学の発展

第1節　行政学の誕生

　現代の行政学の起源は、第2章で述べたように、絶対王政時代の官房学であるが、政治行政関係の視点を取り入れた現代行政学が形成されたのは、19世紀後半のアメリカにおいてである。そして、長い間、世界の行政学の発展をリードしてきたのもアメリカである。したがって、行政学の発展過程を辿るには、まず、その形成と発展を促したアメリカという国の制度や歴史について知っておく必要がある。

●アメリカの政治的伝統

　アメリカが、ヨーロッパの国々と大きく異なっている点は、この国が新しく作られた移民の国であり、ヨーロッパ社会に存在していた封建制や貴族制の歴史をもたず、君主制や君主の支配装置であった官僚制や常備軍が存在していなかったことである。アメリカは、むしろそのような血統や身分による支配を嫌い、自由で平等な社会を求める人々によって建設された。

　彼らは、人々の自由や権利を守るために、権力の集中を嫌い、権利や自由の侵害装置となりかねない官僚制の発展を極力抑制しようとした。そして、できるかぎり民意に忠実な政府の実現をめざし、自分たちのコミュニティや国家を建設するに当たっては、権力の分立を図るとともに、多数の公職者を選挙で選ぶか、選挙で選ばれた者による任命制を採用した。要するに、公職者に対する民主的統制をしっかりと行うことのできる制度を作ろうとしたのである。

　このような制度の下では、たしかに人々に支持されない者が公職に就くこ

とはないが、多数のポストが選挙や政治的任命によって選ばれることになると、このように権力を制限された公職や機関の間で対立が生じたとき、制度上それを調整し、一元的な決定を行う方法はない。また、実際には、選挙または任命によって選ばれる多数のポストにふさわしい候補者を見出すことも容易なことではない。

● 政党と猟官制

そこで、このような制度の空白を埋める機能を果たしたのが、同じような政治的信条をもつ人々が集まって形成した「政党」である。政党は、政府の機関間において対立が生じたとき、それらを媒介し調整する役割を果たすとともに、選挙においては、候補者を立てたり、任命職への候補者の推薦を行い、選挙運動において中心的な役割を演じた。

このような政党の発達過程で、次第に、選挙運動に貢献した人物に、その見返りとして任命職のポストを与える、すなわち選挙運動に協力したことの恩賞として一定のポストに就けるという「猟官制」（spoils system）が拡大していった。社会構造が単純で行政活動も素朴であった時代には、このような猟官制も、民意を反映した民主的な制度として、それなりの利点をもっていたということができよう。ところが、19世紀も後半に入り、資本主義が発展し、工業化、都市化が進み、行政活動も高度化・専門化してくるにつれて、弊害が次第に大きくなっていった。

その弊害とは、利権を伴うポストへの任命をめぐって発生した政治的腐敗であり、さらに、専門能力をもたない人物を高度化・専門化したポストへ情実によって任命することから生じる行政活動の非効率である。

● ペンドルトン法と資格任用制

このような弊害が目に余るようになると、円滑で公正な行政活動を実施するために、優秀で高い専門能力をもった公務員が構成する行政組織、すなわち健全なる官僚制の育成を求めて、公務員制度改革への期待が高まっていった。

その結果、1881年に起こった失意の猟官者によるガーフィールド大統領暗殺事件を一つの契機として、1883年ペンドルトン法が制定され、同法によって、ついに公務員制度が改革され、試験によって専門能力を証明した人物を公務員に採用する「資格任用制」（merit system）が一部に導入されるに至った。

　こうして、公務員の民主的な選出を原則とするアメリカの政治的伝統に修正を加える制度改革が実現したが、それは、アメリカの政治行政制度のあり方について、根本的な問題を提議するものであった。すなわち、専門能力によって雇用される職業的行政官の存在は、前述した公職者に対する民主的統制という考え方と矛盾する。行政活動の効率性を確保しようとすれば、専門能力によって任命される職業的行政官による官僚制が望ましい。しかし、民主的統制を有効に行おうとするならば、そのような官僚制の形成は望ましくないのである。

　この民主主義と効率のジレンマをいかに解くか、換言すれば、まさに政治と行政の関係はいかにあるべきか。これが、発展したアメリカが新たに直面した課題であった。そして、その課題への解答を求めて、新しい学問として誕生したのが行政学である。

第2節　行政学の発展――政治行政分断論

　現代の行政学の創始者といわれているのは、のちに第28代のアメリカ合衆国大統領となったウッドロウ・ウィルソン（W. Wilson）とフランク・グッドナウ（F. Goodnow）の2人である。彼らは、民主主義の確保と官僚制化の必要という一見矛盾する課題に対して、次のように考えることによってその両立を図ろうとした。

●政治行政分断論

　すなわち、彼らは、それまでは一体として捉えられてきた政府活動を、その意思の決定と執行という二つの場面に分離し、前者は民主主義の原理が貫

かれるべき「政治」の世界に属するが、後者はそれとは異なる原理が当てはまる「行政」の世界に属すると考えた。そして、「行政」の場面には、選挙を通して民意を反映する民主主義の原理は適用されなくとも、意思決定が行われる「政治」の場面で民主主義が保障されるならば、政府活動全体としては民主主義の原理が貫徹されていると考えたのである。

このように、政府活動を「政治」と「行政」に分離し、それぞれに異なる原理が妥当するという論理構成をとったことから、このような考え方は「政治行政分断論」ないし「政治行政二分論」と呼ばれている（図表3－1）。

そして、このような分離の前提に立って、政府の意思を執行する場面である「行政」には、できるだけ少ないコストで、政治によって与えられた目的を達成することをめざす「効率」の原理が当てはまると考えられた。すなわち、いかにすれば効率的に目的を達成できるか、そのために行政活動、行政組織はいかにあるべきか、を探求するのが行政学の使命であると考えられたのである。要するに、中立的で、優れた官僚制を育成することが課題とされたといえよう。

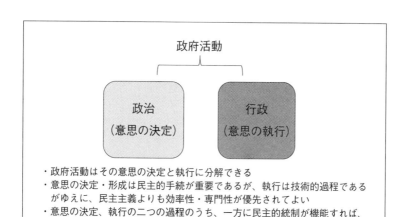

図表3－1　政治行政分断論（政治行政二分論）

第3章　行政学の発展

●行政管理論の発展

　ウィルソンは、効率的な行政活動のあり方をドイツ官僚制から学ぶことを示唆したが、その後のアメリカ行政学が実際にモデルとしたのは、むしろアメリカの民間企業の管理手法であり、それを研究している経営学であった。後述するフレデリック・テーラー（F. W. Taylor）の「科学的管理法」をはじめ、当時開発されつつあったさまざまな経営管理の手法が行政の分野にも応用されていった。そして、とくに地方自治体のレベルで、さまざまな理論を実践した行政管理手法の改革が行われ、その成果の中には今日広く普及している公会計制度や市支配人制のような制度も含まれている。

　このような「政治」から切り離された「行政」の世界において健全な官僚制の育成をめざす動きは、さらに「行政」に固有の原理ないし法則の探求へと向かっていった。それは、企業組織の研究成果を取り入れ、組織編成の原理およびトップ・マネジメントの理論として展開されていく。そして、その到達点ともいうべき業績が、1937年に出版されたルーサー・ギューリック（L. Gulick）とリンドル・アーウィック（L. Urwick）編著の『管理科学論集』である。

●分断論の前提の変化

　ところで、このような政治行政分断論に基づく行政学は、当然のことながら、政府活動を政治と行政という二つの領域に区分できるという前提の上に成り立っている。それ自体はフィクションであるにせよ、この前提は、政府の意思決定とその執行の過程を区別することが実際に意味をもつかぎりは有効でありえた。

　しかし、第2章で述べたように、20世紀の前半に二度の世界大戦と大恐慌を経験し、行政国家化が進行してくるにつれて、このような前提は非現実的なものとなり、それに基づく分断論の有効性も次第に失われてきた。すなわち、もはや政治と行政はフィクションとしても区別することが困難になり、実際に、一体化したものとして捉えざるをえなくなっていった。

第3節　行政学の展開──政治行政融合論

　行政国家化は、政府活動の飛躍的な拡大をもたらした。そして、その拡大した政府活動の大半は行政機関の活動によって担われた。すなわち、社会で発生するさまざまな課題を行政機関が発見し、行政機関がそれに対する対策を検討し、課題を解決するための政策を策定し、さらにそれを実施するようになっていった。立法や予算の承認という最終的な決定は議会が行うものの、実質的な政府の意思決定の大部分を行政機関が行うようになったのである。

●政治行政融合論

　このような行政権の立法権に対する優越化を目の当たりにして、行政学も、分断論の前提を放棄し、政治と行政が一体化した状態を前提として行政現象の考察を試みるようになった。それが「政治行政融合論」と呼ばれている考

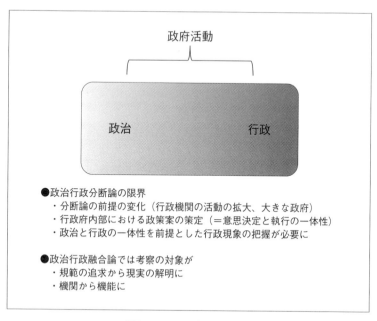

図表3−2　政治行政融合論

え方である。この融合論は、第二次世界大戦後、通説となったといってよいだろう（**図表３－２**）。

　それとともに、行政学では、従来の方法論に対する反省もなされ、効率を究極の価値とし、それを前提として考察を行うそれまでの方法を批判し、より客観的、価値中立的に行政現象の解明を試みる、厳密な科学としての行政学をめざすべきことが主張された。

　それでは、このような前提の転換に伴い、行政学の理論は、その後どのような展開をみせたのであろうか。

　一言でいえば、その後の行政学の研究は、肥大化し強大な権力を有するに至った官僚制の特質や、そのような官僚制の権力と民主主義との関係の分析、さらにはより合理的な政策決定の方法の探求等、問題関心は多岐にわたり、多くの成果を生み出している。

　だが、残念ながら、政治行政分断論の時代に存在したような、課題や理論枠組みに関する共通了解が存在しているとはいいがたい。官僚制現象、行政現象を対象としている点は共通しているものの、政治と行政が融合した状態をいかに捉えるか、いかなる理論枠組みを用いて分析するかということについては、多様なアプローチが存在しており、一時は行政学の「アイデンティティの危機」が叫ばれたほどである。

●行政学の研究分野

　このように行政学が取り組んでいる課題はさまざまであるが、そのいくつかの分野を示すと下記のように整理できるであろう。

　その第１は、「行政責任論」である。これは、行政権の優越化の時代には、もはや議会や裁判所による行政府に対する民主的統制が充分に機能しないことを認め、それらに代わる、あるいはそれらを補う行政活動の民主的統制の方法ないし行政責任確保のあり方を探る研究であり、政治行政関係の視点に立ったアプローチということができる。

　初期の行政責任論では、たとえば専門職の行政官の専門家集団としての倫理意識や相互批判、マスメディア等による政府機構の外部からの監視や市民

運動によるチェックなどの種々の方法が提示されている。しかし、それでも肥大化する官僚制に対しては有効とはいいがたく、近年では、責任論の名で語られることはないが、情報公開制度やオンブズマン等、行政機関の「アカウンタビリティ」を強調する諸制度が導入されている。行政統制のあり方については、改めて述べることにしたい。

第2は、広い意味での「政策研究」である。政府活動の範囲が拡大・多様化した時代にあって、いかによい政策を形成するかという規範的研究、また政策はいかに作られ、いかに執行されるかを実証的に考察する研究等であり、「政策」概念を中心に政府活動ないし行政現象を分析しようとする、社会管理の視点に立ったアプローチの研究である。

政策研究は、第二次世界大戦後、政府活動が拡大する中で、限られた資源をいかに合理的に用いるかという必要から誕生した。政治学はもちろん、経済学、工学等の理論が応用され、学際的な研究分野として発展した。とくに、コンピュータの発達によって、大量かつ迅速な情報処理が可能になったことから、実務への応用も拡大した。

このように、いかにしてよりよい政策を作るかという規範的な課題に応えることをめざして政策研究は発展してきたが、その後、このような規範的アプローチだけではなく、実際にどのように政策が作られているかという実証的分析も多数行われた。また、法律ないし計画等の政策を形成する過程だけではなく、作られた政策が現実にどのように執行され、現実の社会に働きかけているかという政策の執行過程にも、関心が向けられるようになった。この官僚制の組織活動としての政策の執行活動の分析は、かつての行政管理論の問題関心と共通性を有している。

その他、後述する政策評価も含め、政策に関する研究の範囲は広い。すべてが行政学の研究分野に含まれるわけではないが、行政学研究の主要な研究分野であることはまちがいない。

第3は、「政治過程の分析」である。これは、政治と行政の融合として捉えられた行政活動を、さまざまな政治的アクターが相互作用を展開する政治過程とみなし、そこでいかなる政治的影響力が作用して政治的決定がなされ、

政策が形成されるのかを分析しようとする研究分野である。

かつての分断論の時代には、行政の領域は、政治的影響力が作用する世界とは無縁の、技術の論理が支配する世界と考えられていたが、そのフィクションが成り立ちえなくなったのが融合論が誕生した理由である。融合論の時代には、行政過程の内部においても、当然、政治的アクター間の相互作用が繰り広げられる政治過程が存在し、官僚もその主要なアクターである。

この種の研究は、対象が権力集団としての官僚制ないし官僚であるにせよ、方法的には、政治学における政治過程分析の研究と実質的に異ならない。そこでは、政治的アクター間の相互作用を通して、いかにして課題への対応が一定の政策に結実していくかが考察されている。なお、「政治」のイメージが、分断論では「政党政治」であったが、融合論の時代には「政策形成」へとシフトしてきていることも指摘しておきたい。

この政治過程分析に属する研究は、その後も発展を続け、多様な手法やアプローチに基づく研究が展開されている。その一つとして、実験的手法を用いたミクロ的な行政官や国民の行動分析の研究がみられるようになった。個人の行動についての詳細なデータを利用して、ある場面において、個人がどのように行動するのかを統計的に解析し、これまで記述的にしか明らかにできなかった行政現象を解明しようというアプローチである。

研究成果が期待されるところであるが、それらについては政治学その他の講義に譲ることにしたい。

第4節　行政改革の理論

●行政改革の背景

第二次世界大戦後成立した福祉国家は、前章で述べたように、行き詰まりをみせ、1980年代以降「新保守主義」と称される思想の下に、大規模な改革が多くの国で展開された。

このような行政改革の潮流を作り出したのは、1979年に政権についたイギリス保守党のサッチャー内閣である。その後、アングロ＝サクソン系の国々

を中心に、同様の発想に基づく改革が進められ、その動きは世界の多くの国に広がっていった。

これらの国では、社会保障の拡充に伴う負担が、国の経済活動の活力の低下をもたらすようになり、こうした状態から脱出するために、政府活動の効率化と民間の経済活動の活性化をめざした改革が主張されるようになった。

そもそも福祉国家の実現をはじめ行政活動の拡大をもたらしたのは、経済学でいうところの市場の失敗を政府活動によって代替しようとしたことによる。しかし、効率性よりも、公正さ、平等性を重視し、法令や予算制度に縛られた行政活動は効率的とはいいがたく、そこから、改革の方向は社会の求める公共サービスをいかに効率的に供給できるかという方法の探求へと向かったのである。

●行政改革の理論

こうした探求の理論的根拠となったのが、「新自由主義」ないし「新保守主義」と呼ばれている考え方である。

すなわち、社会における資源配分・資源利用を最も効率的かつ的確に行う方法として市場メカニズムを高く評価し、それを政府が行っている種々の行政サービスの供給にもできるかぎり適用すべきであるというものである。この考え方によれば、政府は、市場に介入してその動きを妨げるべきではなく、また、概して民間組織と比べて非効率的な政府活動によるサービスの供給はできるかぎり縮小されるべきであるということになる。

要するに、「小さな政府」が望ましく、そこから、経済活動に対する政府の規制は可能なかぎり緩和ないし撤廃されるべきであるし、政府自らが経営している国営事業等は民営化することが望ましい。さらに、政府が行う活動にも、従来の行政運営の手法に代えて企業経営の方法を導入することが検討されるべきであるというものである。

●行政概念の変容

このような考え方は、これまでの「行政」の概念に修正を迫るものといえ

図表3－3　新自由主義・新保守主義の考え方

よう。すなわち、従来は、公共サービスは、原則として行政組織が公的資金を使い、公務員の活動によって供給することが前提とされてきた。そして、その前提に基づいて、行政の概念も、立法・司法・行政の三権の一つとしての行政権のあり方に、あるいは国家の意思決定を担う政治に対してその執行を行う機能に、さらには政治的文脈における権力的組織たる官僚制の行動に焦点を当てて定義され、論じられてきた。そこには、行政とは、市場で競争する民間企業や他の非政府団体とは本質的に異なるものであるという、公私を峻別する発想が存在していたということができよう。

　それに対して、新しい考え方は、このような公私ないし官民の区別を相対化し、両者を連続的なものとして捉えようとする（**図表3－3**）。すなわち、この考え方が前提にしているのは、従来のような組織ないし機関に着目した行政の概念ではない。むしろそのような組織が社会に対して行っている公共サービスの供給という機能であり、課題とされているのは、その公共サービスの供給方法である。換言すれば、公共サービスの供給を広く行政と捉え、その供給主体およびその性質については、行政機関の他にも多様なものを想定しているのである。

●公共サービスの諸形態

　もちろん、何が公共サービスかということ自体問題であるが、この新しい考え方では、その点は必ずしも明確にされていない。むしろ、社会に一定のサービス需要が存在すると認識されたときに、そのサービスを供給する主体や方法には多様なものが考えられ、その中から最も効率的で的確な組合せを選択すべきであると考えるのである。

　すなわち、求められているのが公共サービスであるからといって、行政機関が供給しなければならないという必然性はない。それを民間企業が供給することができ、それが最も合理的な方法であれば、その方法を採用するのがベストであり、民間企業が採算がとれず供給できない場合には、補助金等による助成によって供給を確保するという方法も検討されるべきである。

　また政府が供給する場合にも、政府の独占である必要はなく、よりよいサービスが供給されるように、政府と民間団体との競争も行われてよい。要するに、公共サービスの供給にも競争的環境を作り出し、より社会のニーズに応じたサービスが効率的に供給されることが重要であると考えるのである。

　このような観点に立って、公共サービスの供給方法を考えるとき、公共サービスは多様な要素から成り立っており、それぞれについて多数の選択の余地がある。

　たとえば、第1に、公共サービスの供給は、行政機関が直接行う「直轄方式」であるべきか、それとも民間企業など、そのサービスの供給に必要な能力を保有し、より効率的にサービスを供給しうる主体に「外部委託」すべきかという供給方式の選択である。さらにいえば、委託の形態や程度にも多様なものを考えることができる。たとえば、一部委託等の方式などがそれであり、わが国の地方自治体でも、ゴミの収集等ですでに実施されている。

　第2に、供給するのは、その分野の専門家であるべきか、それとも一般市民ないし住民が自ら実施すべきかという供給主体の選択である。たとえば、社会福祉サービスは、その分野の専門家に委ねた方が質の高い効率的なサービスを供給できるのか、それとも、その供給量からして近隣のボランティアに委ねるのが合理的なのか。もちろん両者の多様な組合せも考えられる。ま

た、非専門家による供給方法としては、ボランティアによる方法以外にも、ゴミの収集にみられるように、住民自らが交替で行う当番制という方法もありうる。

　第3に、公共サービスの実施単位の選択である。たとえば、地域全体を単位とするか、それとも、もっと狭い近隣地域に限定すべきか。広いほど規模の利益は働くが、サービスの画一化は避けがたい。対照的に、近隣を範囲とするサービス供給は、規模の利益は失われるかもしれないが、地域の実情に応じたきめの細かいサービスの供給が可能になる。

　第4に、これも供給方法の問題であるが、サービスの供給を一つの主体が独占的に行うべきか、それとも複数の主体に供給させ、それらの間で競争を行わせるべきか、という選択である。前述のように、一般的に、健全な競争は効率的で質の高いサービスを生み出す可能性が高いということができるが、公共サービスの場合には、複数の供給主体が競争を展開するほど需要が存在しない場合や、競争がむしろ浪費を生み出す場合もありうる。

　第5に、公共サービスの供給に要する費用負担の問題として、税金に基づく一般会計から支出されるべきか、それとも、それぞれのサービスの受益者がそのサービスの費用を負担するという受益者負担の方式が望ましいか、という選択である。周知のように、前者の場合、負担と受益が切り離されることから、受益者の負担能力の問題は生じないが、それゆえに浪費や財政の膨張を生む可能性がある。他方、後者の場合、負担能力の差が不平等を生む可能性があるが、財政の膨張は抑制される。

　以上、五つの選択の可能性について述べてきたが、実際の公共サービスの供給方法の決定に際しては、これらの選択肢の数多くの組合せの中から最も適した方法が選択されることになろう。もちろん、ここで示したのは例示であり、実際には中間的な混合形態もありうることはいうまでもない。

●行政改革の具体的形態
　公共サービスの供給形態には、以上のように多様なものが考えられるが、それでは、これまでどのような行政改革が実際に行われてきたのであろうか。

行政改革を、最初に大胆に進めた国はイギリスであり、そこでの大規模な国営企業の民営化等は有名である。
　これらの改革は、前述のように、市場メカニズムの力を高く評価し、政府活動の範囲を小さくし、政府による市場への介入を減らすことをめざしたものである。
　その第1は、「規制緩和」である。これまで安全性の確保や安定供給の維持等を目的として行われていた政府の産業活動に対するさまざまな規制、とくに従来、種々の理由で設けられていた市場への参入規制や料金規制は、市場における競争を制限するものであり、それによって、価格が高く質の低いサービスが供給される傾向があると指摘されていた。それに対し、市場における競争こそが技術革新を生み、消費者の求める質の高いサービスを安く供給することができるという考え方から、たとえば交通事業や金融業等で規制緩和や企業活動の自由化が行われた。
　第2は、先に触れた国営事業等の「民営化」である。これまで国民生活にとって不可欠なサービスを供給する事業や、初期に巨額の投資を要する産業等が、多くの国で国営事業として営まれてきた。しかし、政治的な配慮に基づき、採算を度外視した経営が行われたり、政治的判断が優先される傾向があり、それは経営の非効率と国家財政の負担増をもたらした。また、事業によっては、電気通信事業のように、かつては国営でなければ運営できなかったものが、その後の技術革新により、国営である必然性がなくなったものもある。
　そこで、このような国営事業については民営化し、民間企業としての経営の論理をその経営に適用することにより、より効率的で良質のサービス供給を実現しようとしたのである。国営の鉄道事業や電気通信事業が、各国で民営化の対象となったが、わが国でも、1983年の第二次臨時行政調査会の答申に基づいて、国鉄と電電公社が民営化されるとともに、21世紀に入ってからは、郵便事業が民営化され、水道事業の民営化も可能になった。
　こうした改革によって、一定のサービスの改善、柔軟で多様なサービスが出現するようになったことは、わが国でも経験してきたところである。

●新公共管理論（NPM）

　ところで、公共サービスの中には、たとえば、過疎地域における福祉サービスなどのように、このような方法を採用することが困難なものもある。そのようなサービスについては、民間企業の経営管理手法を導入することによって、行政機関が行う活動でありながら、効率化を図ろうとする方法が考案されている。このような新たな管理手法は、総称して「新公共管理論」（New Public Management＝NPM）と呼ばれている。

　その代表例が「エージェンシー」（agency）と呼ばれる組織形態である（図表３－４）。エージェンシー制度は、業績を一定期間の利益という客観的な指標で評価し、利益を最大化する方法については経営者の裁量に委ねられる、という民間企業の管理手法を行政活動にも取り入れた制度である。具体的には、行政機関の活動のうち、政策立案等の政治的な価値選択の決定を伴わない政策の執行活動に関しては、その最終的な産出のみを評価の対象とすることによって、産出過程の効率化を図ろうとする。

　もちろん、行政活動の場合、民間企業の場合と異なって、利益のような業

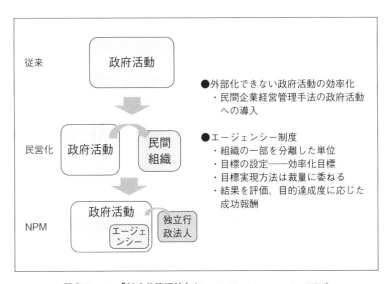

図表３－４　「新公共管理論」（New Public Management ＝ NPM）

績を表す客観的な指標はない。そこで、それぞれの行政機関の活動目標を予め設定しておき、その目標の達成度で一定期間の実績の評価を行おうというのである。したがって、目標を達成する過程で、どのように資源を利用するか、どのような活動方法を用いるかなどについては、エージェンシーの長の裁量に委ねられることになり、そこでの創意工夫によって効率化を達成しようとするものである。

● 「新公共管理論」の手法

「新公共管理論」が出現する以前の行政活動の手法は、客観的な実績を表す指標が存在していないことから、活動の最終的な産出ではなく、行政活動に投入される予算等の資源について事前に厳しくチェックをするとともに、活動の手続や方法について法令等で細かく規定することによって、行政活動の産出の質を確保しようとするものである。要するに、入り口と途中の過程を統制することによって、最終的な成果を担保しようとするものであった。

このような方法は、公正でかつ一定の質をもったサービスの保証をめざすものといえようが、環境の変化に応じた臨機応変の対応が困難であることや、資源の効率的利用をもたらすインセンティブが存在しないことから、非効率を生むと考えられたのである。

エージェンシー制度は、その事務を所管する大臣が目標を設定し、その達成度の評価を通して効率化を達成しようとする制度である。エージェンシーの管理者である長は、効率化を達成する使命を与えられ、使命達成のために必要とされる広範な人事、財政運営に関する裁量権を付与されている。長は、人材を採用し、人事制度、給与制度の変更を行うことによって、最も効率的に目標を達成することを求められる。この長は、広く公募等によって経営能力のある人材が選任され、効率化を達成した後には、一定の成功報酬を与えられ、それがインセンティブとなって経営改善に努力することが期待されているのである。

●エージェンシー制度の限界

　このようなエージェンシー制度が、期待された効果を発揮するか否かは、的確な目標設定ができるか、活動の実績を正確に評価できるかにかかっている。したがって、エージェンシーには、目標設定と評価が比較的容易な施設の管理や定型的な業務を実施している行政機関が最も適しているということができる。

　ところで、エージェンシー制度は、それが目標達成という使命ないし責務をその長に一種の契約によって付与することから、契約に規定されていない事項について予期せぬ問題が発生したときなどに、政府としての的確な対応ができず、政府の国民に対する責任を果たすことができないと指摘されている。たとえば、長が効率化に努めた結果、不採算部門のサービスの質の低下を招き、それが公共サービスに求められている公正さや平等性に反する場合が生じてくるという問題である。

　わが国では、行政改革によって、このエージェンシーの制度を参考にして、独立行政法人制度が創設された。それらについては、第8章で述べることにしたい。

●デジタル化

　複雑で、巨大化した行政活動は、これまで効率化が何よりも課題であった。そのために、これまで述べてきたような行政改革が実施されてきた。

　このような明確な改革思想に基づいたものではないが、21世紀に入ってから進められたデジタル化も、行政の世界においてその作業のあり方を大きく改革する動きということができる。

　後述するように、デジタル化は、従来の紙を媒体とした事務のやり方を大きく変える。第2章の最後でも触れたように、社会における情報収集、保存、伝達、検索等の作業を著しく効率化し容易にする。これは、民間部門、公的部門に関わらず、社会における諸活動のあり方を根本的に変えるものである。

　このことは、コロナ禍の下で、デジタル技術の存在によって、テレワークやオンライン授業、Eコマース等が実施され、拡大したことを想起すれば明

らかであろう。

　まだ、デジタル化は進行中であるが、社会で導入が進むことによって、行政手続はもとより、行政組織のあり方、さらに官民関係も大きく変化することが予想される。

　公的分野におけるデジタル化がどのようなものかについては、第10章で論じることにしたい。

第4章 現代の政府体系

第1節　政府体系の構造

　これまでの各章では、行政活動の拡大とそれを前提とした行政学の学説の展開について述べてきた。それらを行政学における総論とするならば、この章からは、行政現象の具体的な課題を論じる各論である。本章と次章では、現代行政の枠組みを形成している行政の「制度」について論じることにしよう。

● 「政府」の概念と政府体系の構造

　通常、日本語の「政府」という語は、国の行政府を指しており、それには立法機関である国会や司法機関である裁判所は含まれていない。しかし、それらも国の統治の一部を担う機関であって、一国の政治・行政現象について論じる場合には、それらを一体として統治機関と捉えるべきである。一般に「政府」の訳語とされる英語の「ガバメント」（government）はそのような広い意味内容をもっている。

　すなわち、政府とは、現代の民主主義国家においては、主権者である国民や地域住民が自らの所属する国家や地方自治体の団体の統治を委託している機関である。そして、そのような政府は、国民や地域住民の信任に基づいて、団体としての国家や地方自治体を外部に対して代表するとともに、内部においてはその団体の運営・管理に当たっている。

　政府の概念をこのような意味で理解したとき、現代の政府は、**図表4－1**が示しているように、五つのレベルからなる重層構造を有している。

第1のレベル	国家	＝国際関係
第2のレベル	政府部門／民間部門	＝政府民間関係（官民関係）
第3のレベル	中央政府／地方政府	＝国地方関係
第4のレベル	立法／行政／司法	＝三権関係（政治行政関係）
第5のレベル	各府省	＝府省関係

図表4－1　五つのレベルの重層構造からなる現代の政府

● 主権国家システムと国際関係

　その第1のレベルは、最も基本的な単位である「国家」である。現代国家は、絶対主義の時代に形成された主権国家システムを原型としている。主権概念は、二つの側面をもっており、一つは「主権が国民に存する」（日本国憲法前文）というように、国内における最終決定権の帰属者であり、もう一つは、領土に他国が侵入してきたならば「主権侵害」と主張する場合のように、国際社会における正統な統治権の所在を意味している。

　主権国家とは、このように、国内・国外を明確に区別する閉鎖的な統治のシステムとして存在し、国内におけるさまざまな団体や個人がその枠組みの中で正統な存在根拠を与えられるとともに、国際社会を構成する基本単位とされてきた。そのような国際社会における国家間の関係が国際関係である。

　しかし、近年、このような国家の形態が次第に崩れ、各レベルの境界が不明瞭になってきている。たとえば対外的な意味における主権国家システムが緩やかに変化を遂げつつあることは、EU（European Union＝欧州連合）のような国際組織が、国家に代わる行政活動の主体として、大きな役割を果たすようになってきていることからも明らかであろう。

　また、交通・通信技術等の発達は、国境を越えたモノ・人・情報の往来を著しく容易にし、その結果、たとえば製品の安全規制や通信技術の規格の標準化等が、国際機関によって行われるようになった。経済のグローバライゼーションは、国境を越えた経済の自由化、広域化を招き、一国の経済財政運営において国際的な協調を不可避にしている。

●政府と民間

　第2は、国家の中における政府民間部門のレベルであり、ここでは、政府部門と民間部門との関係および境界が問題となる。

　「公私」ないし「官民」と呼ばれている両者の関係については、第3章で述べたように、近年、その考え方が変わりつつあり、行政活動の肥大化を抑制するために、「小さな政府」をめざした行政改革が各国で試みられている。

　それによれば、両者の境界は、次第に連続的になりつつあり、行政機関、民間企業という2類型だけではなく、非営利組織（NPO）など多様な組織形態が現れるとともに、かつてのような「行政活動＝公権力の行使＋行政機関＋公務員の行為＋公的資金」という図式の行政概念そのものも問い直されてきている。

●中央と地方

　第3は、公共部門における国の政府と国の一部地域の政府である地方自治体からなるレベルである。地方自治体を、国の政府が管轄する地域に置かれた一つの出先機関として位置付ける制度もあるが、地方自治体が、国というシステムの中で一定の自律性をもったサブ・システムであって、それを構成する住民がおり、住民の意思に基づいて自治体を運営する機関が存在している以上、それは、前述した意味において、国の政府である「中央政府」に対して「地方政府」と呼ぶにふさわしい。

　両者の関係を制度上いかに定めるかは、政府体系を編成する上で非常に重要な問題であり、制度としての合理性のみならず、各国では、地域特性や歴史的経緯、都市部と農村部の依存関係等を反映して決定されている。

　しかし、国の政府と地方自治体との関係は、社会の発展や経済情勢等によって安定的ではなく、多くの国でより望ましい制度のあり方の模索が続いている。それについては、第2節で述べる。

●議会と行政府

　第4は、政府における立法・行政・司法等、権力分立の原理に基づいて存

在している機関のレベルである。これらの機関は、地方自治体にも置かれており、わが国の地方自治体にも、立法・行政機関が設置されているが、ここでは国の政府における機関間の関係について考察を進めることにしたい。とくに、行政学の政治行政関係の視点から、立法府、すなわち議会と行政府との関係に焦点を当てて、第3節で述べることにしたい。

● 内閣と府省

　第5は、中央政府の行政府を構成する内閣および各府省のレベルである。行政国家化は、前述のように、行政府に属する府省組織の肥大化をもたらした。とくに日本の行政府は、自律性の高い府省組織によって構成され、それらの府省の行動、府省間の交渉を通して、多くの政策が形成されている。

　こうした府省間の関係や府省を束ねる内閣の機能のあり方については、第5章で検証することにしたい。日本では、1997年に最終報告書を提出した行政改革会議によって、それまでの自律性の高い省庁の大胆な統合・再編を実現した。それは、省庁数を減らして「小さな政府」に接近するとともに、内閣機能の強化をめざした改革であった。

　このような改革を経たわが国の制度と実態については、以下の各章で述べることとし、この章では、行政学の観点から重要と思われる第3のレベルの中央地方関係と、第4のレベルの議会と行政府との関係について、より詳細に考察することにしたい。

第2節　中央と地方

● 連邦制国家と単一主権国家

　地方自治体のあり方を定める地方制度は、政府体系において最も基本的な制度の一つである。地方制度にも多様な形態があるが、それはまず、連邦制国家と単一主権国家で大きく異なっている。

　日本やイギリス、フランスのような単一主権国家では、地方自治体は、原則として国家によって創設されることから、どのような種類の地方自治体を

設けるか、それを何層制にするかなどの地方制度のあり方は、国の立法によって定められている。それに対して、アメリカ、ドイツ、カナダ等の連邦制国家では、それを構成する「州」ないし「邦」が主権国家に相当する存在であり、連邦政府は、それらの州から主権の一部の移譲を受けた上位の政府である。地方制度を決定する権限は、通常、州に属しており、地方制度の形態は州によって異なっていることも珍しくない。

●集権と分権

　ところで、中央と地方の関係を論じる場合に重要な点は、中央政府の権限との関係において、地方自治体にどの程度の自治権が認められているかということである。地方自治体が広範な自治権を認められ、中央政府の統制をそれほど受けない場合、地方制度は「分権的」であるという。他方、中央政府の統制を強く受け、自治権が制約されている場合は「集権的」である。わが国の地方制度は、明治時代の創設以来、集権的であったが、近年、それを改め「分権」が推進されてきた。

　ある国の制度が集権的であるか、分権的であるかは、それぞれの国の歴史や地理的事情によって異なる。絶対主義時代に、君主と国民との間に存在していた中間団体を排除して強力な中央政府を作ったヨーロッパの大陸系の国々では、概して、集権的な地方制度を有している国が多い。

　また、かつてのわが国もそうであったが、近代化を図るために、急速な国家統合と経済成長を達成しようと試みる多くの開発途上国にも集権的な地方制度が多くみられる。他方、アングロ＝サクソン系の国々では、歴史的にも強力な中央政府は作られず、相対的に自治権が強く、分権的な地方制度をもっているといわれている。

　ところで、中央政府も地方自治体も、国民に対して多様な行政サービスを供給しているが、その供給の形態は、集権的であるか、分権的であるかということと、必ずしも連動していない。すなわち、中央政府の事務は中央政府の地方出先機関が実施し、地方自治体の事務は自らの機関が実施するというように両者の事務は、必ずしも「分離」しているわけではない。中央政府が、

地方自治体にかなりの自治を認めながらも、地方自治体の機関を通して、国の事務を実施する形態、すなわち国が地方自治体に事務の実施を委任し、両者の事務が「融合」していることも珍しくない。

融合型か、分離型かという点も、国によって異なっているが、概して、大陸系の国々では融合型が多くみられ、他方、地方自治体の権限を列挙し、自治権の範囲を明確にするアングロ＝サクソン系の国々では、分離型が多いといわれている。

●国地方関係の変容

「地方自治」という考え方は、地域という国の領土の内の一定の地理的範囲を基礎とする団体を想定しており、そこでは地域の自律性、空間的閉鎖性が前提とされている。地方自治の理論が形成され、地方制度の発展をみた時代には、たしかに第2章で述べた農村型の社会が多く存在しており、そこでは、中央政府の統制に対して、いかにして自らの自治を守るか、自治権をいかなる制度によって確立するか、換言すれば、中央政府の権限と明確に区別された自治の範囲の確保が重要な課題であったといえよう。

しかし、20世紀後半における科学技術の発達と国家の変容は、このような前提を大きく変えることになった。交通・通信技術の発達は、地域の境界を越えた情報や人・モノの移動を著しく増やし、人々の行動圏、生活圏、経済活動の範囲を拡大した。その結果、行政活動の広域化が課題となり、その課題に応えるためには、地方自治体の連携協力、あるいはより広域の政府による行政活動が要請されるようになった。

また、福祉国家の実現は、すべての国民に対し国が一定の福祉サービスの提供を保障することを意味する。この分野では、行政サービスに対するニーズは個人によって異なることから、一方では、一定のサービスを平等に提供する必要があるとともに、他方では、国民に対して各自のニーズに応じたきめ細かいサービスを提供しなければならない。

さらに、近年における都市部への人口と産業・資金の集中は、都市部と農村部の間に、財政力の大きな格差を生み出した。国民に対して均等なサービ

スの提供を図るためには、豊かな地域からそうでない地域への財源の移転が必要である。

● **新たな国地方関係**

このような変化は、国地方関係を大きく変えることになった。すなわち、現代求められている行政サービスを的確、確実に供給していくためには、国と地方自治体が、実際の行政活動において密接に協力し合わなければならない相互依存関係に置かれることになったのである。

地方自治体は、その区域を越えた広域的な課題に対応し、充分な住民サービスを維持していくためには中央政府に依存しなければならず、他方、地域ごとに事情の異なるニーズにきめ細かく応えていくためには、国は、地域の事情に精通している地方自治体に依存しなければならない。

このような変化は、国への依存が避けがたい地方の側からみれば、「集権化」と受けとめられることになるが、一方、地方自治体の地域に密着した行政活動は、地方自治体の自律性を実質的に高め、「分権化」が進むことになると評価することもできる。いずれにせよ、現代では、以前のような、国から切り離された明確な「自治」の範囲を想定することは、困難であるし、適切でもない。

したがって、あるべき国地方関係の追究は、最も合理的な中央と地方の役割分担の均衡点を求めることにほかならず、近年の傾向は、「小さな政府」を指向する改革の方向とも相まって、集権化しすぎた現状から「分権」の方向へシフトすることをめざしているといえよう。

このような動きは多くの国でみられるが、わが国における地方制度と分権改革については、次章で述べることにしたい。

第3節　議会と行政府

● **大統領制と議院内閣制**

現代民主主義国家における統治構造は、権力分立の原理に基づいて形成さ

れているが、その形態は、国によって異なっている。

　議会と行政府に関する制度としては、周知のように、議会の議員と行政府の長である大統領をともに公選で選ぶ大統領制と、行政府の長である内閣総理大臣を、国民の選挙で選出された議員が構成する議会が選出する議院内閣制とがよく知られている（**図表4－2**）。それぞれ前者はアメリカが、後者はイギリスがモデルとされて説明されることが多い。

　典型的な大統領制であるアメリカの大統領制は、国民の意思が議会および大統領によって代表される二元代表制であり、それぞれ正統な代表である両者は対等の関係にある。このような制度が設けられているのは、権力の集中を避けることを重視したことによるが、二権間で対立が生じたとき、それを調整し、国家の意思を統合する制度上の仕組みは存在していない。そのような調整は、二権間の水平的な協議を通して行われざるをえず、そこに、政党などの非公式的な調整の仕組みが発達することになることは前述した。

　イギリス型の議院内閣制では、行政府の長である内閣総理大臣は議会から選出され、内閣は議会の信任に基づいて存在し、議会に対して責任を負う。したがって、権力の分立は徹底しておらず、制度上、内閣すなわち行政府に対して議会が優位な地位にある。内閣は直接的な民主的代表性を欠いていることになるが、実際には、議会与党の党首が内閣総理大臣となり、内閣は与

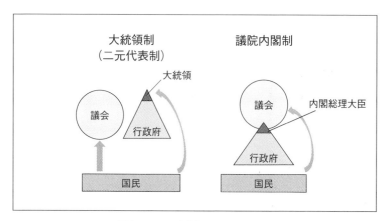

図表4－2　大統領制と議院内閣制

党の最高幹部会に等しいことから、内閣総理大臣の制度上の政治的影響力は非常に大きく、内閣の下で国家の意思が統合される。このような内閣に対する民主的統制は、議会における与野党の論戦および選挙を通した政権交代によって行われる。

● **政治家と行政官**

　ところで、行政学の観点からみて重要な点は、現代国家における政治家と行政官の関係、とくに行政府における閣僚をはじめとして選挙で選出された政治家および彼らが任命する政治的任命職の行政官と、専門能力に基づいて試験によって採用され、身分が保障された職業的行政官との関係である。

　ときの政権を構成し、その政権と運命をともにする部分を「執政」部門と呼ぶならば、政治家と行政官の関係は、執政部門と、執政部門の指示を受けて職務を執行する狭義の行政部門との関係と捉えることができよう。行政の専門化、高度化が進み、職業的行政官の果たす役割が増大した現在、この両者の関係、あるいは両者のバランスは、行政学における政治行政関係の視点からみて最も重要な問題である。

　一般的には、執政部門が大きく、行政機関の幹部職員の多くが政治的任命職であるときに、国民の意思が、政策およびそれを実現する活動である行政活動に強く反映される、そして民意の変化が行政機関の人事に反映されることはそれだけ民主的統制がよく機能する、と考えられている。

　政権党の幹部が閣僚や行政機関の高官の地位に就くことにより、自ら公約した政策を自ら実現し、また、政権交代が起こった場合には、新たに政権の座に就いた政党の幹部が、同様に彼らの政策を実現することができるからである。

　しかし、民意が明確ではなく不安定な場合には、政治的任命職が多いことは、行政が政治化し、政策の安定性が失われる可能性が高い。かつてのアメリカにおける猟官制にみられたように、行政活動が過度に党派的に行われ、腐敗や非効率等の弊害をもたらすことになりかねないのである。

　他方、執政部門の規模が小さく、政治的任命職の数が少ないときには、政

策の執行における政治のリーダーシップは限定され、職業的行政官による専門的判断が優先する可能性がある。

この場合、一方で、行政活動の専門性と政策運営の安定性が高まり、非党派的、中立的に政策が執行される可能性が高いといえようが、反面、民意から乖離し、民意の変化への適応が困難になり、結果として、行政活動に対する民主的統制が弱くなり、「官僚支配」が生まれる可能性がある。

●執政部門の規模

執政部門の規模、あるいは政治的任命職の範囲は、各国の歴史や制度理念を反映して、国によって異なっている。猟官制の伝統をもつアメリカでは、現在でも多数の役職が政治的任命職の対象となっており、イギリスでも、閣僚のみならず政権党の多くの議員が行政府の役職に就き、自党の政策の実現に携わっている。

いずれも国民の支持獲得をめざす政党間の競争が、議会内および議会と大統領の間で、また議会における政権党と野党との間の論争を通して展開される構造になっており、執政部門は、政治の場で決定された政策を執行する行政部門とは、制度上異なる位置付けがなされている。

しかし、今日のように行政活動の規模が拡大し、専門化した時代にあっては、職業的行政官の政策形成およびその執行における役割が重要になり、両者の関係が現代行政学の最も重要な課題の一つであることは前述の通りである。わが国の行政機関における政治的任命職の数や位置付けについては、次章で述べることにしたい。

なお、この執政部門と狭義の行政部門との関係を考察するとき、職業的行政官の幹部職員人事に政権党の意向がどの程度反映されるかも重要な論点である。政策の形成・執行に当たる重要なポストに、行政官集団の中から、政権党が自己の政策を支持する人物を自由に任命できるならば、政治の行政に対する統制は強いということができるが、猟官制の危険は増すことになりかねない。

他方、幹部職員の人事に政治家の介入を許さず、官僚制自身による自律的

な人事が行われているとすれば、政治に対する行政の自律性がそれだけ高くなり、政策に対する民主的統制は弱くなるといえよう。

第4節　行政統制と参加

　民主主義は、主権者たる国民の意思、すなわち民意に基づいて政策を策定し執行することである。やや法学的ないい方をすれば、民意を反映した議会が制定した法律に基づいて公権力の行使を行うことが理想的な民主主義のあり方である。

　だが、行政学が対象とする現代行政国家では、国民に対する行政サービスが質的に多様化するとともに、量的には飛躍的に拡大し、その供給に当たる行政機構は肥大化し、複雑化した。結果として、国民の目からみて民意に反する政策が作られ、行政機関によって執行されることもしばしば起こるようになってきた。このことは、政策が民意から離反するだけではなく、行政機関や行政官に過度の権力が集まり、それによって国民の権利が侵害されるリスクが増大する可能性が高まったことにほかならない。

　そこで、前章で述べたように、行政学では、第二次世界大戦後、このように巨大化し透明性を欠くに至った行政機関を、どのようにして民意に沿うように統制するか、どのようにして行政官の国民に対する責任を担保するかについての議論が、「行政責任論」という名称の下に展開された。

　以下に述べることは、政府体系の枠組みそのものに関するものではないが、現代国家において民主主義を機能させるために生まれてきた課題と対応に関するものであり、これも政府体系の一環として論じられるべき課題である。そこで、この章で論じておくことにしよう。

●行政統制と行政責任論

　民主主義の制度自体、行政権の暴走を抑止するために議会と裁判所を独立して設置し、外部から行政権の行動に枠をはめ、また行政府の権限の濫用による権利侵害から国民を救済しようとするものである。

しかし、それだけでは、三権の中で相対的に巨大化した行政権に対する統制方法としては不充分であるという認識から、行政責任論が論じられるようになったことは前述の通りである。そこで示された行政権に対する統制や行政責任確保の方法としては、議会、裁判所という外的で制度的な仕組みの強化だけではなく、行政権に対するマスメディア等の外部からの監視や、行政組織内部で働く行政官の職業倫理を強調するものなど多様なものがある。

　この行政責任論の議論においては、内面的な職業倫理としての責任（responsibility）とともに、外部の国民に対する応答責任（accountability）という考え方も主張された。後者の応答責任の前提は、行政活動の内容や意思決定の過程について国民は知ることができないケースが多いが、それでは、行政活動の的確性、民意との整合性等を確認できないことから、公務員は国民に対してその的確性、正当性を説明する義務があるというものである。

●情報公開と参加

　民主主義は、国民の政府に対する信頼があってうまく機能するが、行政官は情報を秘匿したがる。それが政府への不信を生むようになり、そのような官僚制の秘密こそが悪しき権力の源泉であるという印象がもたれると、行政機関の保有する情報についての公開を求める声が強くなる。そこから、国民に対して行政機関に応答責任を義務付ける情報公開制度が作られていった。

　1970年代以降、各国で導入された情報公開制度は、日本でも国と地方自治体においてすでに定着したといってよい。特定の性質をもつ情報を除いて、行政機関は、国民からの請求があったときには情報を開示しなければならず、非開示の決定に対して不服のある国民は、情報公開・個人情報保護審査会等において、そして最終的には裁判所で争うことができる。

　その点で、国民の行政統制の基盤となる制度である。しかし、情報公開制度は、事後的に応答責任を問うものであり、いまだ審議が続いている政策ないし意思決定の過程について、国民が知り、意見を述べることを保障するものではない。

　それゆえ、国民による行政統制という考え方は、より積極的な行政過程へ

の参加という発想に発展していく。国民や関係者の政策等の決定過程への参加を行政機関に義務付けた行政手続制度の整備が進むとともに、とくに国民に近い政府である地方自治体のレベルで、さまざまな「市民参加」の仕組みが考案され運営されるようになった。

●世論とメディア

　国民が政府や行政機関の活動を監視し、参加の機会を得るためには、広くその情報が国民の耳に達しなければならない。今日の行政活動の内容は、ときに高度に専門的で複雑である。しかも行政に関する日々の情報量は膨大である。

　そのため、政府と国民の間に介在し、政府の活動を批判的な目で調べ、その問題点を明確化し、国民にわかりやすく伝達するメディア（ジャーナリズム）が重要な役割を果たすようになっていった。

　メディアの役割は、より正確にいうと、批判的な観点から政府や行政機関の活動を分析し、一般国民に伝えることと、逆に、そうして伝えた情報に対する国民の声を集約し、世論として社会に発信することである。

　国民の目からみて問題のある政府の活動を批判し、民意を世論として集約することは、民主主義の社会において非常に重要な機能である。だが、世論を形成し政府の行動を抑制あるいは誘導する力をもつことは、他面、危険性も有している。マスメディアが、政府の三権に加えて、「第四の権力」と呼ばれる所以である。複数のメディアが、異なる視点から、異なる見解を示し、国民に問題を多角的に理解させ、選択肢を提示する機能を果たすことが、その役割を適切に果たすためには重要である。

　ところで、最近の情報技術の発展は、インターネットを介したSNS等の新たなコミュニケーションの手段を普及させた。これらが、それまでのメディアと異なるのは、一般市民が不特定多数の国民に向けて自由に情報発信できることである。それは、従来のメディアがもつ権力性、危険性を打ち破るものではあるが、無責任な世論形成や感情的な言説の流布を招く別の危険ももち合わせていることは忘れてはならない。

●直接民主主義

　ところで、民主主義は、主権者たる国民の議論を通して国の意思決定を行う仕組みであり、現実に、代議制を採用しているのは、物理的に全国民が一堂に会して議論することが困難であることと、議会や行政府で決定する事項が複雑かつ大量であるため、実質的に国民が直接参加して審議し、意思決定を行うことができないからである。だが、内容もシンプルで直接参加による議論が可能な地方自治体においては、直接民主主義の実現である住民投票制度が設けられている国や地域もある。

　最近では、直接民主主義の実現を妨げる要因が、まさに情報技術の発達によってかなり克服できるようになったこともあり、世界各地で、国を二分するような重要な問題について国民投票を実施しようとする傾向がみられるようになった。

　国民は、その問題について、さまざまなソースから情報を入手し、メディア上での議論をみて投票することが期待できることから、まさに民主主義の理想に近づいた制度として支持されているといえよう。

　しかし、2016年のイギリスのEU離脱をめぐって行われた国民投票の結果が示しているように、この制度は、多数の絡み合った課題の一部を取り出して賛否を問うものであることや、実施するタイミングや投票にかける課題設定のあり方によって結果が変わる可能性がある。それゆえ、充分慎重な検討の上に一般的な制度化を図るべきであり、安易な実施は大きなリスクを伴うといえよう。

第5章 内閣制度と国地方関係

第1節　日本の内閣制度

　この章では、日本の政府体系について、とくに議会と行政府の関係および国地方関係について考察することにしたい。まず、それを定めている憲法構造を含む基本的な制度枠組みについて述べておく。

●戦前の憲法構造

　現在のわが国の政治体制の原型が作られたのは、1889年に発布された大日本帝国憲法によってである。この憲法は、対外的には欧米列強に対抗しうる近代国家を形成するとともに、国内においては、自由民権運動をはじめとする民主化の要求に対抗するために、明治政府が制定した憲法であって、政治体制として、天皇を主権者とする立憲君主制を採用したものであった。

　この憲法によって、民選の議会が設けられ、国民の政治への参加が制度的に認められるようになった。しかし、政府に対抗する政治勢力が政策決定に参加し、さらに政権に就く機会は、制度上、厳しく制限されていた。すなわち、この憲法を作った明治政府は、議会政治の発展によって、議会で多数の議席を占める政党が政権に就く議院内閣制に移行することを警戒し、それを防止するために種々の制度上の工夫を凝らしたのである。

　たとえば、議会は二院制とし、衆議院は民選としたものの、華族制度を基盤とする貴族院を別に設け、対抗させた。内閣も大臣の単独輔弼制を採用し、総理大臣の権限を弱体なものにした。また、内閣の外に、内閣を牽制する機関として枢密院を置くとともに、行政権の編成や官吏制度に関する権限は官制大権として天皇が独占し、議会の関与を認めなかった。

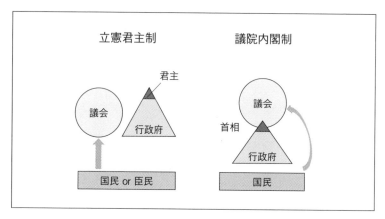

図表5－1　立憲君主制と議院内閣制

　さらに、議会が予算を議決しなかった場合には、前年度の予算を執行する権限を内閣に与えた。そして、軍事に関する統帥権も天皇が独占した。そこでは、民選の議会の立法権と天皇の行政権との二元的構造が形成されていたということができる（**図表5－1**）。

　1890年に第1回の帝国議会が開設されたが、当初、明治政府は、議会で多数を占めた在野の反政府勢力に対し、それを無視する超然主義の立場をとった。明治政府の当初の方針は、民主化を求める政治勢力を抑圧し、政府に忠誠を尽くす有能で強大な官僚制を育成することによって、国家の急速な発展、つまり富国強兵を達成しようとするものであった。

　しかし、その後の政党の発展は、次第にこの対立図式を変えていった。そして、大正時代に入って、議会における多数党の党首を首相に任命するという政党内閣制が実現した。だが、統帥権の独立により、議会による統制を受けなかった軍部の暴走によって、それも長くは続かず、やがて軍事体制が形成され、ついには戦争に突入することになったのである。

第5章　内閣制度と国地方関係

●戦後の議院内閣制

　現在の日本国憲法では、戦前の大日本帝国憲法のような、議会から独立した存在として天皇の行政権を置く二元的構造ではなく、内閣が連帯して国会に責任を負う議院内閣制を採用している。すなわち、憲法第41条で「国会は、国権の最高機関であつて、国の唯一の立法機関である。」と宣言し、さらに第66条第3項で、「内閣は、行政権の行使について、国会に対し連帯して責任を負ふ。」と定め、制度上、内閣は議会の信任に基づいて成立し、議会の信任があるかぎりにおいて存続しうる、という議会優位の構造を採用したと解される。

　しかしながら、制度運用の実際においては、議会の優位、すなわち立法権が行政権に対して優越するというよりは、むしろ立法権、行政権が均衡した二元的構造として理解されている。そこでは、主権者である国民が直接選挙によって選ぶ機関が優越すべきであるという民主主義の原理よりも、複数の機関が相互に牽制し合い、抑制と均衡の関係を形成すべきであるという権力分立の原理が強調されているといえよう。そして、より率直にいえば、国民の代表が構成する議会に対して、主として職業的行政官が構成する行政権の自律性が強く認められてきたのである。

●行政権の自律性

　それでは、なにゆえにそのように理解されてきたのであろうか。制度のあり方とその理解の仕方は、歴史的背景や政治情勢等の要因によって規定されているが、戦後当初のわが国の政治体制の場合には、次のような理由が考えられる。

　第1に、戦前の憲法体制の下における天皇の行政権と議会の立法権との二元的構造の考え方が継承されている。その結果、しばしば行政権が統治の中心的機関として位置付けられ、行政権の立法権に対する関係も、議会の信任に基づいた協力的、一体的な関係というよりは、むしろ対抗的な関係として捉えられていた。

　第2に、法制度上、大臣は、内閣を構成する国務大臣としての性格と、各

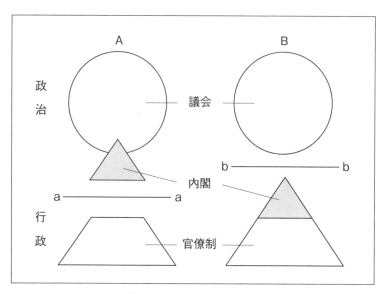

図表5－2　政治と行政の関係

府省の長、より正確には、多様な行政事務を分担管理する「主任の大臣」としての性格を有し、執政部門に属する大臣と行政部門に属する行政組織とが一体的なものとして位置付けられ、そのことが執政と行政、あるいは政治家と行政官の間の区別よりも、政治の世界である国会と、大臣と職業的行政官が構成する行政府の区別を強調して捉える図式を支えている（**図表5－2**）。

　すなわち、政治と行政の関係という視点からみれば、**図表5－2のA**が示すように、議院内閣制の下では、執政部門たる内閣は、議会とともに政治部門を形成し、職業行政官からなる行政部門と区別され対立する構造で捉えられるはずであるのだが、実際には、**B**のように内閣は職業行政官が構成する官僚制と一体化した行政権として、国会の立法権と対立する図式で理解されている。

　しかも、その主任の大臣が所管する事務の範囲は、分担管理の原則によって、明確に区分され、原則として、他の大臣、すなわち他の府省の介入を許さない。その結果、大臣は、内閣の構成員として国政全体の観点から政策運

営を行う立場にあるとともに、内閣において各府省を代表する立場にもあり、後者の役割が強調される場合には、合議体としての性格をもち、全員一致の決定を慣例とする内閣が、各府省の意向に逆らって、それらの府省に対して指揮監督を行うことは困難になる。

　第3に、これまでのわが国の制度の下では、諸外国と比べて、行政権における政治的任命職の数が少なかった。各府省の幹部職は職業的行政官が占め、それら幹部職の人事については、制度上はともかく、実際には、行政官が構成する官僚制内部のルールに従って行われていた。

　さらに、彼らの職業倫理については、「全体の奉仕者」（日本国憲法第15条第2項）として国全体の利益を追求し、党派的な主張や利益にとらわれてはならないという政治的中立性が強調されている。これらも、わが国の行政権が、議会すなわち政治から自律的である理由の一つといえよう。

第2節　戦後の社会の変化と政治体制の評価

　このような日本の行政権すなわち官僚制の高い自律性は、戦後の日本の政治体制を理解する上での重要なテーマの一つとして、かつて行政学のみならず政治学においても論じられたことがある。

　第二次世界大戦後の日本は、当初は敗戦による荒廃からの復興が課題であった。その後、経済成長を遂げ、世界でも有数の経済大国になり、同時に福祉国家を実現した。しかし、1990年頃に頂点に達し、バブル経済といわれた好景気が終焉した後は、長期にわたる経済の停滞が続いている。その後は、累積した多額の公債と高齢化がもたらした社会保障の負担増が、現在そして将来の大きな課題となっている。

　こうした社会経済情勢の変化の下で、戦後の日本では、政治体制は、大きな改革も行われず、比較的安定していたといってよいだろう。しかし、そのことは、政治体制が普遍的な妥当性をもつことを意味しているわけでは必ずしもなく、むしろ実際には制度と現実との間に乖離や齟齬が生じてきており、制度改革が課題であることを示しているといえよう。1990年代以降行われ、

またその後も試みられている行政改革は、まさに運用レベルにおける改革では変化した環境に適応できなくなったことを示しており、そこで改革の対象となっているのが自律的な官僚制のあり方であるといってよい。

● 日本官僚制論

ところで、行政学および政治学において、日本の官僚制について種々の見解が展開されてきたが、それらの見解は、今述べたような社会経済情勢の変化と重ね合わせることによって、より深く理解することができる。

第二次世界大戦後、日本は新憲法の下に種々の民主的制度を導入したが、戦前の官僚機構は解体を免れ、その後も復興の主要な担い手であったことから、当初は、民主主義の理念の観点から、官僚支配が継続していることに対する批判がなされ、そうした批判的見解が戦後の社会科学の議論の主流となった。

こうした見解は「官僚制優位論」と呼ばれているが、民主主義体制こそが社会のあり方として望ましく、また経済成長を実現しなければならないという当時の考え方によれば、官僚支配による非民主的な体制は、経済発展と結びつかないはずである。しかし、その後の日本は、官僚支配にもかかわらず、当時の世界が目を見張るような高度成長を達成した。そこで、主として、海外の研究者が唱えたのが、「経済官僚主導論」と呼ばれる見解である。

この見解によれば、日本の高度成長の理由は、多様な利益集団が駆け引きを行う政治過程から距離を置き、中立的な立場から国益の拡大のために政策を立案し実現する優秀で強力な官僚集団の存在にある。官僚制優位論とは真っ向から異なる評価をしたものであるが、前者が官僚制の政策能力を過小評価しているのに対し、この経済官僚主導論は、民主主義体制が未成熟であることには触れていない。

戦後30年以上が経ち、成長が持続し社会が成熟してくると、これらの見解に代わって、そうした成熟した社会を前提とした新たな見解が示されるようになった。それが「政党優位論」といわれる見解である。

政党優位論では、戦後の安定した体制の下で、民主主義は成熟し、政党も

発達し、長期にわたって政権の座にある自由民主党(以下、「自民党」)は、民意を充分に汲み上げ、政策に反映している。官僚制は、実質的に政策を立案しているものの、政権は、官僚制の政策立案能力を充分にコントロールし活用している。両者は協力的であり、こうした関係は、むしろ望ましい民主主義と経済成長のあり方を示しているというものであった。

●経済の停滞と政治主導

このような幸福な状態は、しかし、1990年前後に起こったソビエト連邦の崩壊をはじめとする国際的な政治情勢の変容、そしてバブル経済の崩壊によって大きく変わることになる。それまでの、政党優位論が前提としていた自民党の一党優位体制は、経済成長という右肩上がりの状態を前提としてうまく機能していた。換言すれば、既存の利益構造には手を付けず、パイの増分の配分を上手にコントロールすることによって、社会の発展を図り、国民の要望に応えていたのである。

しかし、1990年代に入って生じた経済の停滞の結果、こうした仕組みは機能しなくなった。配分できるパイの増分が縮小したことから、官僚制も有効な政策を作ることができなくなり、そのため国民は不満をもち、国民からの多様な要望を突きつけられた政党は、官僚制がそれに充分に応えられないことにいらだちを募らせた。

とくに、各府省が、分担管理の原則に依拠して、自己の権益を守ろうとし、府省の壁を越えた総合調整が困難であったため、こうした官僚制への批判がますます高まった。

そこから浮上してきたのが、「政治主導」への動きである。民主主義の原点に立ち戻って、民意を反映し政策を作る主役は選挙で選ばれた政治家であり、政党であるべきだという主張であり、かつての官僚制による行政主導を批判した「官僚制優位論」と同様の論理である。

そして、それを実現するための改革が、それまでの政治制度における行政権の自律性という、前節で述べた制度理念に基づいた抵抗勢力と対決しながら、進められていくことになる。その際の改革のターゲットは、まさに官僚

制であり、かつては高度成長をリードしてきた国の行政機構にほかならない。

第3節　行政改革と内閣機能の強化

● 1993年の政権交代

　国民の不満に応えられなかった自民党政権は、1993年の総選挙で敗北し、38年間就いていた政権の座から転落する。そして、野党連立政権の細川内閣が誕生するとともに、それ以降、国の基幹的な制度に関するいくつかの制度改革がスタートする。

　それまでの衆議院の中選挙区制を、小選挙区比例代表並立制に変える選挙制度改革、中央の府省の地方自治体に対する統制を緩和し、地方自治体の自治の範囲を拡大することをめざした地方分権改革、そして、内閣機能を強化し、国の行政機構のスリム化、効率化を狙った行政改革、さらにこのような改革は、公務員制度改革、国立大学制度改革等へと展開していく。

　地方分権改革については、次節で論じることとし、ここでは、政治主導をめざした内閣機能の強化について述べておく。

●中枢管理機能

　既述のように、日本の政治体制においては、行政権の自律性が高く認められており、それはより具体的には、分担管理の原則の下での各府省の自律性、独立性を意味した。

　社会経済情勢が変わり、府省の壁を越えた新たな課題の解決に取り組まなくてはならない情勢下では、当然、政策体系全体を統括する首相および内閣の役割と責任は増大する。にもかかわらず、第8章で述べる、それまでの縦割の構造は、そうした内閣によるリーダーシップの発揮の障害となっていた。

　そこで、国民からの正統な支持を得ている政権党、すなわちその代表である首相および内閣がリーダーシップを発揮し、政治が主導して政策運営ができるように、制度改革が試みられたのである。

　以後進められた一連の制度およびその運用の改革は、従来の「行政主導」

に対して「政治主導」をめざしたものということができるが、行政組織の管理という観点からみると、それは内閣による中枢管理機能の強化ということができる。

すなわち、巨大な行政組織の活動をトップリーダーが的確に把握し、コントロールするためには、各府省にとって不可欠の活動資源、具体的には、予算、法制度、人事・組織、そして国の安全保障等に関する重要な情報の管理に関する基本的な機能——中枢管理機能——を内閣が保有することが必要である。

当然のことながら、今日の行政活動の規模では、このような中枢管理機能を担う機関自体も相当規模の組織体を構成する。そのような組織の設置を含む制度および運用の改革が、以後進められていく。その嚆矢が橋本内閣の行政改革会議であった。

●橋本行革と内閣府

1997年12月に最終報告を提出した橋本内閣の行政改革会議は、内閣機能の強化以外にも、府省の統合再編、独立行政法人制度の創設による行政活動のスリム化、効率化も図ったが、それらについては第8章で述べることとし、ここでは内閣機能強化のための制度改革について述べる。

その第1は、内閣官房の機能の強化である。それまで、内閣官房は、首相や閣議の事務担当部門として位置付けられていたが、それらに加えて、政策立案の機能をもたせた。その結果、ある意味では当然のことであり、現状の追認といえないこともないが、内閣法第4条において重要政策等の発議権が明記された。

他方、かねてより課題とされていた総理大臣の各府省に対する指揮監督権については、法律上認められるには至らず、分担管理の原則による各府省の自律性は残された。

第2は、内閣府の設置である。内閣府は上述した中枢管理機能を担う組織として執政部門に属し、内閣官房と一体化して行政の各分野の活動を管理し統制する機関として、当初構想された。中枢管理を担う組織であるため、他

の府省と同列ではなく、政府組織体系上も、内閣の下にあって各省の一段上の位置に置かれた。

しかし、その後の内閣府の具体的な権限機能の決定をめぐる政治過程で、当初に構想された各省に対する管理機能を有する機関としての性格は稀薄になり、むしろ内閣官房を助けて内閣としての総合的な政策の立案や横断的な課題についての企画・調整機能を担う「知恵の場」とされた。それとともに、企画立案だけではなく、一部の実施機能も加えられ、最終的には、複合的で性格の不明確な組織となった。

第3は、総合的な政策の立案や横断的な課題についての企画・調整を担う機関として、首相を長とする経済財政諮問会議や総合科学技術会議(その後「総合科学技術・イノベーション会議」に改称)が内閣府に設けられた。これらの会議は、府省の壁を越えた国全体の課題についての政策を決定する場であるが、その役割は限定的なものとされた。

● 小泉内閣以降の内閣の中枢管理機能

橋本行革にはじまる「政治主導」強化の動きは、その後の政治情勢の変化に伴って進められていった。

2001年に誕生した小泉首相は、従来の自民党政権の政治のあり方を、自民党に属する首相でありながら、ますます厳しくなる財政状況を踏まえ、大きく変えようとした。そのために、従来以上に首相としての強いリーダーシップを発揮した。

小泉首相が、その方法として使ったのが、橋本行革のときに作られた経済財政諮問会議である。小泉首相は、首相に対する国民の強い支持をバックに、会議の民間委員から大胆な改革案を提案させることにより、権限をもつ各省や族議員と呼ばれた国会議員、業界団体等の抵抗勢力を打破して改革を進めていった。

それでも、経済の停滞から脱出することはできず、財政再建も見通しが立たなかった。その結果、その後の自民党の政権運営に不満を募らせた国民は、2009年、民主党に政権を委ねることを選択する。

当時は、高まる国民の不満を意識して、各政党が歳出抑制策を示すことなく、行政サービスの拡大を約束し、民主党政権も、政治主導による国民の負担増やサービスの削減には踏み切れなかった。そうした政党間の激しい競争の中で、各省に置かれた副大臣、大臣政務官の役割も拡大され、「政務三役」と呼ばれる執政部門の行政部門に対する優位が確立されていった。

民主党も、2012年に政権を再び自民党に譲ったが、自民党政権になってからも、官邸の政策決定や行政運営における主導性は高まっており、第二次安倍内閣時に、国家安全保障会議、内閣人事局が設置された。前者は、国の安全保障に関する重要事項を審議する機関として、後者は、各府省の幹部職員の人事権を内閣で行使する機関として設置されたものであり、いずれも内閣の中枢管理機能ないし司令塔機能の強化ということができる。

●**政治主導の現状**

以上のように、1993年以降の政治制度の改革は、行政に対する政治の優位を確保する、すなわち政治主導を実現する方向で進められてきた。

それが実現した原因は、一つには、経済が停滞する中で、行政機関が配分できるパイが縮小し、社会に対する影響力が低下したことである。そしてもう一つには、国民の不満を政治が受けとめ、むしろ行政に対する批判をテコにして、政治がその影響力を拡大したことである。

結果として、政治主導、内閣主導の政治体制が形成されたが、政治主導は、民意を反映したより民主主義の理念に沿う状態を実現する反面、専門的、中立的であるべき行政に政治が介入するリスクを有している。

現在では、制度上、内閣主導は強化され、各府省の幹部の人事権も内閣がもつに至ったが、内閣官房、内閣府で働く公務員は、各省からの出向者や併任が多く、政治と行政、すなわち、執政部門と行政部門の媒介項として機能している。

また、官邸主導が進み、多くの決定が首相官邸で行われるようになった結果、権力中枢である内閣に多数の会議体が設置されるようになっている。その結果、内閣の負担が大きくなってきていることも否定できない。

このような内閣の中枢管理機能を強化するために、そもそも構想されたのが内閣府であるが、先に述べたように、機能が曖昧な内閣府は、そのような性格を失い、他の省と同列に位置付けられるようになってきている。それは、第8章の**図表8－3**、**8－4**が示すごとく、内閣府がかつては政府の組織図において、内閣官房の下、各省の上位に描かれていたが、今日では、他の省と同列に位置付けられるようになっていることが示している。

　このように内閣官房および内閣府の業務の見直しが行われ、日本の内閣制度も時代とともに変化を遂げてきているが、今後、政治が国民の期待に充分に応えて政策を策定し、それを行政に的確に執行させ、社会の課題を解決することができるか。そのための制度のあり方を探求することは行政学の重要な課題である。

第4節　地方制度と分権改革

　日本の国地方関係は、19世紀の後半以来、中央集権的な構造が長く維持されてきた。しかし、1990年代以降、地方分権改革が実施され、地方自治のあり方も変わってきた。

●戦前の地方制度

　近代の日本の地方制度は、明治維新後次第に形成されてきたが、当時の日本は、近代国家としての形を作るため、それまでの国内の多様な制度や国民の意識を統合することが喫緊の課題であった。そのため、地域社会を統治するために有効な仕組みを作ることが重視され、当初は、地方の自治を制限し、もっぱら国の統制の下に、地方の統治と開発に主眼を置く制度が作られた。要するに、効率的な社会管理のための集権的な仕組みが追求されたのである。

　しかし、明治憲法の時代に入って、市制町村制、府県制、郡制が創設され、次第に制度が整備されてくるとともに、地域における自治も認められるようになる。大正時代に入ると、市町村のレベルでは自治が拡大されていったが、他方、府県知事は内務省任命の官選であり、府県は官治団体としての性格を

強くもっていた。

それ以降、1943年の戦時体制の一環として大幅な制度改革が行われるまで、地方制度はほぼ安定し、次第に定着していった。

● **戦後改革**

戦後、新しい憲法の下で、地方自治の位置付けと制度は大きく変わった。日本国憲法の第8章に「地方自治」の章が設けられ（図表5－3）、地方自治が制度的に保障され、都道府県が完全自治体となり、知事が公選となった。

　　　第8章　地方自治
〔地方自治の本旨の確保〕
第92条　地方公共団体の組織及び運営に関する事項は、地方自治の本旨に基いて、法律でこれを定める。
〔地方公共団体の機関〕
第93条　地方公共団体には、法律の定めるところにより、その議事機関として議会を設置する。
②　地方公共団体の長、その議会の議員及び法律の定めるその他の吏員は、その地方公共団体の住民が、直接これを選挙する。
〔地方公共団体の権能〕
第94条　地方公共団体は、その財産を管理し、事務を処理し、及び行政を執行する権能を有し、法律の範囲内で条例を制定することができる。
〔一の地方公共団体のみに適用される特別法〕
第95条　一の地方公共団体のみに適用される特別法は、法律の定めるところにより、その地方公共団体の住民の投票においてその過半数の同意を得なければ、国会は、これを制定することができない。

図表5－3　日本国憲法「地方自治」の章

そして、地方自治体に関する基本的事項は地方自治法によって規定された。しかし他方では、地方自治体の執行機関を国の機関として位置付け、首長に国の事務権限を委任する、戦前に存在した機関委任事務制度が存続した。

このとき作られた制度は、戦後しばらくの間に、さらに何度か変更されることになる。とくに、地方財政の制度に関してはしばしば改革が行われ、最終的に一定の国税の一定比率を配分原資として、財政力に応じて自治体に配分する地方交付税交付金制度が創設された。それとともに地方税も次第に国税の体系の中に組み込まれ、財政面、とくに歳入面の自治は弱体なものになっていった。

●戦後の地方自治

1960年を過ぎると地方制度はほぼ安定するようになる。しかし、制度は安定したものの、その制度の下で、現実の社会の変化とともに地方自治の実態は大きく変わっていった。

前節で述べたように、日本は、1960年代以降高度経済成長を達成するが、その方法は、都市部に人口や資本等の資源を集中させ、工業化を進め、それが生み出す富を牽引力として成長を図るものであった。

それを効率的に行うためには、限られた資源を管理して国全体として的確に都市部に集中させなければならず、それには地方自治の理念に反する国の集権的な制度が必要であった。だが、このような方法は、確かに急速な成長を生むが、反面において都市部と地方農村部の間に格差を創り出す。この格差を是正するためにも、国全体としての調整のための集権的な仕組みが不可欠であった。

このような仕組みも、欧米先進諸国へのキャッチアップが共有された目標として存在したうちは機能したが、1980年代になり、キャッチアップを達成したのちは、これまでのように先進国社会のモデルを画一的に追求する発想は崩れ、それぞれの地域が個性ある地域社会の創造を求めるようになってきた。そうなると、それまでの集権的な仕組みは、むしろ地方自治体の自律性、すなわち自己決定の自由を束縛するものと捉えられるようになってきた。

ここから、地方分権への動きがはじまる。

● **分権改革**

　大きな改革には契機が必要だが、分権改革の契機となったのは、1993年の自民党政権の終焉とその後の連立政権の成立である。

　地方分権は、同年の地方分権推進の国会決議を経て、1995年に地方分権推進法が成立し、地方分権推進委員会が設置されたことにより具体化した。地方分権推進委員会は、6年にわたって精力的に審議を行い、数次に及ぶ勧告を提出した。その勧告に基づく地方分権推進一括法が1999年に国会を通過し、2000年4月より、新たな制度が施行されることになった。

　地方分権推進委員会がめざした改革の目標は、第1に、国と地方自治体の関係を従来の上下関係から対等な関係に変え、その役割分担を、省令や行政指導等ではなく、法令に基づく関係に改めることである。それに伴い、機関委任事務制度は廃止され、自治体の事務は、原則として自治体が法令の範囲内で自らその内容を決定できる自治事務とされた。ただし、それになじまないそれまでの機関委任事務の一部については、一定の国の関与を認める法定受託事務とされた。

　第2に、財政の自立性を高めるために、使途を縛る補助金を廃止し、自由に使える一般財源を拡大することである。本来ならば、財源の内、住民が納め、受益と負担の関係が明確な地方税の比率を高めるべきであるが、現状の地方自治体間の財政力の格差を前提とするかぎり現実的ではなく、大規模な税源移譲や地方交付税の改革は行われなかった。

　この地方分権推進委員会による改革は、一定の成果をあげたものの、めざしていた改革目標を完全に達成するには至らず、任期を終えた。その後は、残された地方制度の改革を含め、さらに地方分権を推進すべく、地方分権推進委員会の後継機関が設けられるとともに、地方分権の理念に基づいて、その後も改革が続けられている。

●地方自治の現状とさらなる改革の必要

　こうした分権改革によって、地方自治体の自主性は制度上高められてきていることは否定できないが、では、当初めざしたような"自治"の実現に近づいたのであろうか。

　21世紀に入ってからは、前述したように、経済の低迷と社会保障負担の増加を主たる原因とする財政難によって、地方自治体も厳しい状態に置かれている。分権改革にもかかわらず、このような状態に陥っているのは、第1に、改革がはじまったときには想定されていなかった人口減少が進んで、地域経済の停滞や雇用の減少を生み、地域社会の衰退を招いているからである。このことは第15章で述べる。

　2008年をピークとして始まったわが国の人口減少は、少子化対策が効を奏したとしても長期に及ぶ。とくに、農村部の小規模自治体の減少は著しく、2040年までに数百の自治体で人口が半減すると推測されている。

　こうした自治体は将来的に衰退、消滅する可能性がある。第2次安倍内閣以降、地域社会の維持と活性化のために「地方創生」の政策が実施されてきたが、すべての自治体が存続することはありえない。

　それゆえ、今後検討すべきことは、それらの人口減少地域に居住する住民に対して必要な行政サービスの提供をいかにして保障するかということである。小規模な自治体が単独で行政サービスを提供することができないのであれば、共同して行政サービスを提供する制度の形成や大胆なデジタル化の推進による業務の効率化を図ることが必要であろう。

　第2に、今日では、通信交通手段の発達によって、国民の居住、行動の形態が、分権改革が想定していた状態と変わり、閉鎖的な自治体を想定して自治を考えることが適さなくなってきている。複数の自治体で日々の生活や仕事をする住民が増え、"住民"の概念自体が融解しつつあるといえよう。

　このような現代社会において、地方自治はいかにあるべきか。空間的に限定された地域コミュニティの形成、活性化の問題と、住民生活にとって基本的な行政サービスの提供のあり方とは区別して、これからの人口減少社会にふさわしい制度のあり方を追求すべきであろう。

このような観点からみれば、住民登録、地方税、福祉などの情報システムや、個人情報保護などの自治体の境界を越えて提供や保護されることが望ましいサービスや基準等は、各自治体で固有の政策や制度を作るのではなく、むしろ全国的に統一された制度を採用し、自治体はその地域に固有のまちづくりや景観保護等の政策や制度形成に特化することが望ましいと考えられる。

　長期にわたって続いてきた都道府県と市町村の2層からなる地方自治の制度も、人口減少と住民の生活実態、そして交通、通信、とくに著しい通信技術の発展、さらにはコロナ禍で顕在化した国と自治体との業務分担等について、それぞれの役割や機能について見直し、真に住民の安全で快適な生活にとって必要な行政サービスの提供を保障する自治体のあり方をめざすべきときがきているといわなければならない。

第6章 官僚制

第1節　官僚制の理論——マックス・ウェーバーの官僚制論

　これまでの章では、行政現象を構成する要素の一つである「制度」について述べてきたが、本章からは「組織」について述べることにしたい。

　現代行政は、改めていうまでもなく、強大な行政組織の活動によって実施されている。「官僚制」と呼ばれているこの巨大な行政組織がどのような性質をもち、いかなるメカニズムによって動いているのか。また、適切に活動が行われるようにするためには、どのように管理がなされるべきなのか。

　こうした課題について、行政学はこれまで多くの研究成果を蓄積してきた。その中には、官僚制の問題を広く政治体制の問題と捉え、その特質を明らかにしようとするものから、企業や宗教組織をも含めた組織一般についての分析を試みるものまで多様なものが含まれている。

　以下では、まず、本章と次章でそのような官僚制および行政組織の一般的な構造、性質について論じた後に、第8章以降で日本の行政組織について考察することにしたい。

●官僚制の概念

　「官僚」ないし「官僚制」ということばは、当初は、社会科学の用語としてではなく、一般の人々からは嫌われる「お役所仕事」を意味する、多分に批判的なニュアンスをもった日常用語として用いられていた。しかし、現実の統治過程において、官僚制組織が次第に拡大し、それが果たす役割も大きくなってくるにつれて、「官僚制」は学問的考察の対象としても捉えられるようになった。だが、それを明確に定義することは容易ではなく、長く多義

的な内容をもった概念として用いられてきた。

このような官僚制ということばについて、明確な概念規定を行い、その特質を明らかにしたのが、ドイツの社会学者マックス・ウェーバー（Max Weber）である。

ウェーバーの描く官僚制は、彼の壮大な社会学の体系における有名な伝統的支配、カリスマ的支配、そして合法的支配という支配の正統性の3類型の中の合法的支配の最も典型的な形態として位置付けられている。それは、歴史の近代化過程を、社会の諸側面において次第に合理化が進められていく過程として捉えた彼の理論体系において、最も合理的な形態として示されており、その特質は以下の通りである。

●官僚制の組織的特質

すなわち、ウェーバーは、官僚制の組織的特質として、次の7項目を挙げている。

①**規則に基づく活動**　官僚制の活動は、客観的に定められた規則に基づいており、規則に従って継続的に実施される。

②**明確な権限**　官僚制の活動は規則で客観的に定められた権限に基づいて行われる。すなわち、官僚制のすべての活動の内容、責任の範囲、それに伴う命令権限等が、規則によって明確に規定されている。

③**ピラミッド型構造**　明確な権限として定められた各業務は、ピラミッド型をした階層構造に編成されており、上下の指揮命令系統が一元的に定められ、下位の機関は上位の機関の指揮監督に服する。

④**文書主義**　官僚制における活動は、すべて客観的に記録され、保存される文書によって行われる。

⑤**公私の分離**　官僚制における職務たる公的活動とその担当者の私的生活とは明確に分離されており、その担当者が職務で用いる資材や施設等はすべて支給され、それは私的財産と区別されている。

⑥**専業制**　官僚制における職務は、その担当者の全労働力を要求する。官僚は、それを唯一の職業ないし主たる職業として、その職務に従事する。その

職務を副業として行ったり、他の職務と兼業したり、あるいは名誉職として行う場合は典型的な官僚ではない。
⑦**資格任用制**　官僚制における職務は、習得可能な専門能力を必要とし、官僚は、その能力について訓練を受け、公開試験に合格した者の中から選抜される。縁故による採用や猟官制のような政治的な任命は、近代官僚制の特質とはいえない。

●官僚の地位に関する特質

　このような官僚制の組織的特質に加えて、ウェーバーは、官僚制で働く官僚の地位に関しても、次のような特質を挙げている。
①**「天職」としての官僚**　官僚制においては、官僚の職務は「天職」、すなわち神に使命として与えられた職務と考えられ、労働に対する対価や私的事情を顧慮することなく、義務として職務に専念することが求められている。また、この特質から、私情を排し「憤激なく、不公平なく」職務を遂行することが求められる。
②**任命制**　純粋な官僚制では、官僚は上司によって任命される。選挙で選ばれたり、上司以外の者が任免権をもつ場合は、上司の命令に服従するとはかぎらず、指揮命令による統制が確実に行われないので純粋な官僚制とはいえない。
③**契約制**　近代官僚制における官僚の採用は、自由人の間の契約に基づいて行われる。上司の指揮命令に服し、規則に拘束されるのも契約に基づく職務の範囲内であり、一旦職務を離れたら、もはや職務上の上下関係に拘束されない。
④**地位の終身制**　純粋な官僚制では、官僚たる地位の終身制が保障されている。しかし、この保障は、官僚たる地位が外在者の恣意によって奪われることなく、またその不安を抱くことなく、職務に専念できるようにするためのものであって、官僚の地位は、世襲や売買、譲渡が可能な保有権ではない。
⑤**貨幣報酬と年金**　官僚が、生活の不安にとらわれることなく、職務に専念できるように、固定的な貨幣報酬が、職務の種類、勤続年数等に基づいた客

観的な規則に従って支給される。これは、労働の量に対する対価として支払われる報酬ではなく、官僚としての地位に対して支給されるものである。また、官僚は、退職後、年金を支給され、老後の保障を受ける。これも、在職中、将来の不安なく職務に専念できるようにするためのものである。

⑥**社会的評価** 官僚は、高い社会的評価を受けており、また自身、高い評価を求めて職務に従事する。

第2節　ウェーバーの官僚制論の理解

●**精密機械のイメージ**

　ウェーバーの描く官僚制は、以上のような特質をもっている。それでは、その具体的なイメージはどのようなものであろうか。

　行政活動であれ、企業活動であれ、大規模な業務を多数の人間が一体として遂行しようとする場合を想定してみるならば、ウェーバーの官僚制の理念型が示すイメージは、その一体性をもった大規模な業務を多数の職務に明確に分解し、それを各担当者に割り当て、それらの割り当てられた職務をピラミッド型に編成し、上司の指揮監督によって、全体としての統合を図ろうとするものである。

　その場合、職務の配分とピラミッド型構造への編成を明確かつ厳密に行うために、予め客観的に定められた規則によってそれを行う。また、各職務の遂行状態が担当者の個性によって異なることがないように、職務の遂行の仕方は、規則によって厳格に拘束されている。その結果、官僚は、「即物的かつ非人格的に」整然と職務を遂行することになる。

　このような特質をもった職務の体系から想起されるのは、何よりも官僚という交換可能な多数の部品によって構成されている精密機械のイメージであろう。現代では、さしずめコンピュータ・システムを連想することができ、そこでの規則とは、機械の設計図、あるいはその精密機械を正確に作動させるためのプログラムということができる。

●部品と性能

　しかし、官僚制という精密機械では、部品はモノではなく、官僚という生身の人間である。それが精密機械の部品になりきるためには、人間としての感情を抑制し、直面する状況に動じることなく、つねに冷静にその専門能力を発揮しなければならない。すなわち、高い性能をもった部品が安定して作動する状態が持続しなければならないのである。それには、まず厳しい検査によって優れた品質をもつ部品を最初から採用することであり、それは官僚に要求される専門能力とその能力についての採用試験に相当する。

　また、人間である官僚が、機械の部品のごとく安定して能力を発揮し続けるためには、当然に、生活の安定、職務に対する高い倫理観が必要とされる。「天職」としての職務意識や高い社会的評価の追求はいうまでもなく、地位の終身制や貨幣による固定的な報酬、そして退職後の年金の保障などは、すべて官僚が高い能力をコンスタントに発揮することを確保するための制度といえよう。

　このようなウェーバーの官僚制の特質は、現代のわが国の公務員制度の特質として、今日でもみられる。この点については、第9章で述べる。

●批判とその評価

　冒頭で述べたように、「官僚制」概念はそもそもは批判的な意味合いをもった概念であった。しかし、ウェーバーの理論において、官僚制は中立的な分析概念として確立され、むしろその精密機械としてのイメージは、高度化し複雑化する近代以降の社会において、最も必要とされる合理的な組織の原理として受け入れられた。その後の官僚制に関する議論は、それを支持するにせよ、批判するにせよ、ウェーバーの官僚制理論を出発点としているということができる。

　ウェーバーの理論に対しては、主にアメリカの社会学者からそれが、厳格な規則に基づいた権限の体系と職務の遂行を非常に合理的な形態として描いているのに対し、さまざまな組織の実証的研究の結果から、規則に縛られた職務の遂行はむしろ柔軟性を欠いた非効率的な形態である、と批判された。

たとえば、ロバート・マートン（R.Merton）は、規則に基づいた職務の遂行は、官僚を規則を守ることに執着させ、その組織がめざしている本来の目標を見失わせる、と述べ、そのような現象を「目標の転移」（displacement of goals）と呼んだ。また、アルヴィン・グールドナー（A.W.Gouldner）は、規則に縛られた懲罰的官僚制よりも、部下の自律的な行動を容認する代表的官僚制の方が、生産性が高いと主張している。

　これらの批判が指摘している点は重要であるが、そもそもウェーバーが提示したのは、人類の歴史の発展過程を合理性の進展の過程と捉え、その文脈の中で最も技術的に優れた形態として考えられる、「理念型」としての近代官僚制である。それは、まさに精密機械のように、プログラム、すなわち規則に基づいて行動することによって、迅速、精確、公平に職務を達成するという技術的優秀性を有しているがゆえに、最も合理的な形態として提示されたのである。

　しかし、これはあくまでも理念型であって、実際の組織がそのような完全性の要件を満たすことは難しい。将来のできごとを予測し、それを完全に組み入れた完璧な規則を作ることは不可能であるし、精密な部品であるはずの官僚も人間である以上、感情に動かされることは免れえない。批判論者が指摘したのがこのような現実の不完全な組織の実態であるとするならば、それは必ずしもウェーバーの理論に対する正面からの批判とはいいがたい。

　むしろその主張は、実際の組織が、理念型の官僚制の完全性を、どのような点で、またいかなる理由によって制約しているか、という点についての課題を提議したものと理解することができる。

●官僚制と民主主義

　ところで、ウェーバーは、客観的な規則にみられる計算可能性あるいは予測可能性を重視し、それが官僚制の技術的優秀性の根拠であり、そのように合理的である官僚制がひとたび形成されると、それは永続的な性格をもち、それなしには社会は存続しえなくなると述べている。そのように容易に解体することができない官僚制は、それでは次第に行政国家化が進展し、官僚制

が膨張しつつある時代にあって、民主主義とどのように両立しうるのであろうか。

2020年に始まった新型コロナウイルス感染症によるパンデミックは、改めてこの論点を浮上させた。最新のデジタル技術を活用して感染者の追跡を行えば、感染拡大の抑制効果は大きいが、他方で、それは国の官僚機構による国民の行動の把握、追跡を可能にし、国民の自由の制約となりかねない。効率的ではあるが、基本的人権を侵害しかねない監視国家に陥ることなく、いかにしてこのような官僚制の活動と民主主義とを両立させることが可能か。デジタル技術という新たな要素が現れたことによって、課題が改めて表面化したといえよう。

この官僚制と民主主義の問題は、現代国家が直面している最も重要な問題であり、まさに本書でいうところの政治行政関係の視点が問う行政学の基本的なテーマの一つである。だが、ウェーバー自身は、残念ながらこの問題に対して明確な解答は述べていないといわれている。

この問いに対する解答を追究し、現代の官僚制を理解するためには、さらにその組織としての特質を明らかにすることが必要である。そこで、次に、主としてアメリカで発展した組織論について述べることにしよう。

第3節　組織論の展開

●科学的管理法

アメリカにおける組織論の研究は、歴史も古く、蓄積も多い。それは、行政官僚制に限らず、企業や宗教団体をも含めた組織一般を対象として、組織の構造および組織構成員の行動の分析を行ってきた。アメリカでこのような研究が発達した理由の一つは、厳しい市場競争の中で企業が効率的でより優れた組織の編成と管理の方法を追究してきたことである。

このような組織研究の嚆矢は、フレデリック・テーラー（F. W. Taylor）が提唱した「科学的管理法」である。これは、人力を主たる動力源としていた時代に、工場の生産現場における作業の合理化、効率化を図るべく考案され

た方法である。それは、時間動作研究によって、それまで無秩序に行われていた工場での作業を単位動作に分解し、それを最も効率的に組み合わせることによって、最大の生産性を実現することをめざしており、作業環境を標準化し、作業の合理的な管理手法を提示した点で、当時としては画期的なものであった。

●古典的組織論

　科学的管理法が、工場における作業過程の管理に焦点を当てていたとすると、その後現れた古典的組織論は、組織全体の管理、とくにトップ・マネジメントについて論じた。

　古典的組織論のリーダーであるルーサー・ギューリック（L. Gulick）は、古典的組織論を集大成した『管理科学論集』において、最善の組織編成の方法の発見に努め、直属上司は一人でなければならないという「命令系統一元化の原理」、一人の上司が監督できる部下の数には一定の限界があるという「統制範囲の原理」、そして類似した性質の仕事を統合していくべきであるという「同質性の原理」という三つの組織編成の原理を提示している。

　これらの「原理」は、のちに科学的な検証に耐える命題とはいいがたいという批判を受けるが、実際に組織を編成する上での重要な指針として、今日でもしばしば言及されている。

　さらに、同書では、組織におけるトップ・マネジメントの機能について論じ、有名な「POSDCoRB」と略称されている次のような七つの管理機能に整理した。すなわち、

①**計画**（Planning）　組織が目的を達成するために将来行わなければならない活動の明確化

②**組織**（Organizing）　組織活動を実施するための役割体系の編成

③**人事**（Staffing）　その役割にふさわしい人材の配置

④**指揮**（Directing）　直面する状況に応じた適切な指示命令

⑤**調整**（Coordinating）　組織の部門間における活動の整合性、一体性の確保

⑥**報告**（Reporting）　役割の遂行状況についての把握

⑦**予算**（Budgeting）　活動に必要な資源の配分

の七つの管理機能を組織のトップリーダーが的確に果たすことが、組織が円滑かつ効率的に目的を達成する上で必要であると説いたのである。これらの機能は、今日においても、組織編成の原理とともに、組織の管理者に対して一定の行動指針を与えているといえよう。

●人間関係論

　ところで、それまでの組織論は、そのままでは無秩序な人間の集合になりかねない組織を、整然とした体系的構造に編成することによって、組織活動の効率の向上をめざすことを基本的な狙いとしていた。そこでは、組織とは、役割ないし職務の体系であって、そこで働く人間は、金銭的動機によって行動する単純な存在とみなされていた。そして、そのような人間が最大限の生産性をあげるように、誘因を上手に創り出すことが管理と考えられていた。

　しかし、実際の人間は、それほど単純な存在ではない。感情をもち、複雑な思考に基づいて行動する存在である。ホーソン工場における実験から、そのことを発見し、組織における人間のイメージを修正し、感情をもった生身の人間を素材として組織のあり方を探究したのが、エルトン・メイヨー（E. Mayo）、F．レスリスバーガー（F. J. Roethlisberger）らによる「人間関係論」である。人間関係論では、現実の組織には、職務の体系からなる「公式組織」以外に、実際の人間が形成するネットワークである「非公式組織」が存在しており、組織活動は、その非公式組織のあり方によって大きく規定されていると説く。

　現実の人間を素材として組織理論を構築しようとした点で、人間関係論は画期的といいうるが、やはり公式組織を前提としている点、非公式組織が具体的にどのようなものであるかを必ずしも明らかにしていない点、そして、この理論の前提にある視点が、非公式組織の巧妙な管理を通した生産性の向上という、管理者の視点を脱却していない点などから、この人間関係論も、基本的にはそれまでの組織論の発想を継承しているといわれている。

●現代組織論の展開

　このような人間関係論に対して、組織を、組織図に示された公式組織ではなく、そこで働く現実の人間の行動とその相互の結びつき、すなわち「人間行動のシステム」として捉えようとするのが「現代組織論」である。それは、現実の人間行動の特性と限界に着目することによって、それがウェーバーの官僚制論の理念型が示す完璧な組織をいかに制約しているか、を考察しようとしているといってよいだろう。

　ところで、現代組織論とはいえ、すでに半世紀以上前に発表された理論である。その後もちろん組織論の研究は進み、政治学、社会学、経営学等の分野で新たな理論も提示されている。

　また、経済学の基本的な分析枠組みを応用した組織の経済理論も開発されている。たとえば、ある主体（委任者）が、自己の利益のための仕事を他の主体（受任者）に委任する場合を想定し、それぞれの主体が自己の利益の最大化をめざして行動するとき、委任者の利益に反する状態が発生することを示した「プリンシパル＝エージェント理論」などがそれである。この枠組みを、組織とその構成員、あるいは組織の上司と部下に当てはめることにより、組織においてさまざまな現象が発生するメカニズムを明解に理解することができる。

　このように、現代組織論の後、新たな組織論も生まれているが、本書で考察しているような行政学における行政組織の実際の活動を理解するには、現代組織論の枠組みが最も適していると考えられる。そこで、次章では、このような現代組織論について、その基本的な考え方、そしてそれに基づく組織の生理現象と病理現象について述べることにしたい。

第7章 現代組織論

第1節 決定と情報

　この章では、前章をうけて、チェスター・バーナード（C. I. Barnard）が提示し、ハーバート・サイモン（H. A. Simon）が、それをより精緻な理論に構築した現代組織論に依拠しつつ、現実の組織がいかに形成され、いかに活動しているか、その作動のメカニズムを論じることにしたい。

● 組織分析の基本単位としての決定

　抽象的に表現すれば、組織とは、相互に関連し合った多数の人間行動の集合であり、それらの行動が統合されて、一体的な意思が形成され、それに基づいて、組織としての活動が展開される。それぞれの構成員の行動は各自の決定に基づいて行われるが、現代組織論では、このような組織の各構成員の「決定」という行為に着目し、それを単位として組織の動態を分析しようとする。

　ここでいう決定は、それを分解するならば、各自が直面する状況において、これから行うべき行動をいくつかの選択肢の中から選択する行為であり、全体としての組織の活動とは、組織の多数の構成員各自が行うこのような選択行為が一定の秩序で合成されたものにほかならない。

　構成員各自の行動は、一定の目的の実現をめざして行われることから、決定に当たっては、達成すべき目標ないし到達すべき状態のイメージが予め存在しており、それが選択の基準となる。各構成員は、与えられた選択肢の中から、その基準に照らして最善のものを選択しようとする。そして、あらゆる選択肢とそれらを選択した場合のすべての結果について検討し、その中か

ら選択基準に照らして目的を最大限達成する選択肢を選択するならば、それが最も合理的な決定ということができる。

● **合理性の限界**

　このような決定という思考作業は、換言すれば、人間の頭脳における情報処理作業にほかならない。現代の大規模組織の活動は、非常に複雑であり、そこで収集・生産され、伝達・発信される情報は膨大な量に上る。いかに人間の思考能力が優れていたとしても、一人の人間がそれらの情報をすべて分析・処理して決定を行うことは到底不可能である。そこに、組織活動の合理性を制約する一つの要因が存在している。

　このように人間の情報処理能力、すなわち決定能力に限界があることから、組織の構成員は、組織活動に関するすべての情報を収集し、それらを分析して決定を行うのではなく、組織の他の構成員が行った決定の結果、すなわち組織内で一定の加工が行われた情報を自らの決定の前提として受け入れ、それに基づいて決定を行う。こうして、他の構成員の決定結果を吟味することなく前提とすることによって、処理すべき情報量を減らし、そうすることによって、各構成員は、限られた能力の範囲内で複雑な選択や判断を行うことができるようになるのである。

● **組織の決定**

　各構成員の決定をこのように考えると、大規模組織における組織としての決定は、多数の構成員が各自部分的な決定を行い、それらの決定を他の者の決定の前提として送信し、受信した者は、それを前提として自身の決定を行い、さらにその決定を送信し、それを受信した別の者がそれを前提として決定を行う、という決定の連鎖を経て、最終的に形成されるということができる。

　このような決定過程をピラミッド型の組織に当てはめてみれば、次のようになる。最前線で仕事をしている部下は、自らが直面する状況については知ることができるが、組織全体が置かれている状況については充分な情報をも

つことも、また自らの行動が他の者の行動とどのような関係にあるのかを充分理解した上で決定を行うこともできない。それを行うには、自らの能力を超えたあまりにも大量の情報の収集・処理を要するからである。そこで、その者は上司の命令や指示を前提として受け入れ、その範囲内で行動を選択し決定する。

　もちろん彼（女）の上司も、自らすべての情報を収集・分析し、決定を行うことはできない。彼（女）の決定自体、部下から送られてくる情報に依存しており、部下の報告を前提にして決定を行う。その場合、上司は複数の部下からの報告とともに、彼（女）自身の上司からの指示・命令も前提として決定を行う。その決定は、部下に対しては、今述べたように、指示・命令として伝達され、上司に対しては報告として伝達される。

●決定の分業

　このように組織における決定は、個々の構成員の間で「分業」されている。しかもその場合の分業は、同レベルでのヨコの分業だけではなく、上司と部下という異なるレベル間でのタテの分業でもある。ヨコの分業だけでは、組織としての業務の一体性を確保できず、ヨコのレベルで分業された業務の調整・統合は、このようなタテの分業が行われてはじめて可能になる。

　ピラミッド型構造をもつ組織では、このようなタテ・ヨコの分業によって、各自の決定が組織としての決定に統合されることになる。そのピラミッド型構造が尖鋭なものであるか、平らなものであるかという組織の形状は、分業のあり方によって異なり、さらにそれは組織の目的・性格や組織を取り巻く環境によって異なっている。

第2節　組織における管理

●報告と命令

　これまで述べてきたように、組織における決定の構造は、主として上下方向への情報伝達経路として把握することができる。ただし、いうまでもなく

これらの情報伝達においては、上方への伝達——報告——では、一定の情報の要約・圧縮が行われる。すなわち、部下の上司への情報伝達は、上司がその情報を理解し、その上司の能力の範囲内で分析し、正しい決定を行うことができるように、情報を圧縮・要約して伝達することである。その圧縮された情報を受け取った上司は、複数の部下から送られてくる情報をさらに圧縮・要約してその上司自身の上司に送る。

　他方、下方への伝達——指示・命令——では、上司が発した指示・命令の具体化が行われる。部下が的確に指示・命令の意図するところを実行するように、部下の決定前提を形成する情報が送られるのである。それを受け取った部下は、自ら収集した他の情報を加え、最善の決定を行おうとする。そうすることによって、上司は、組織の全体状況を知ることのできない複数の部

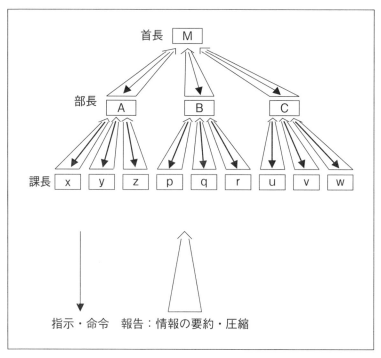

図表7－1　情報伝達の経路のイメージ

下の行動を調整し、組織活動を統合することが可能になるのである（図表7－1）。

　この上下方向への情報伝達は、上司の指示・命令が部下の報告に依存し、部下の報告が上司の指示・命令に影響されることから、両者は相互に密接に関連している。したがって、組織活動を迅速、機敏に行い、その効率を高めるためには、方向を問わず、的確な情報を確実にタイミングよく伝達することが肝要であり、それが組織管理のポイントである。

●情報伝達のコスト

　ところで、このような情報伝達には、当然にコストを伴う。そのコストは、組織の規模の拡大と活動内容の多様化に応じて、また、組織が置かれている状況が流動的で予測が困難であるほど一体的な組織活動を行うために要する情報量が増大することから、増加する。

　しかし、組織が、情報伝達に投入できる資源には限界がある。そのため、情報コストの増加は、組織活動を阻害することになりかねない。そこで、組織では、いかに情報コストを削減するか、いかに効率的に情報の伝達と蓄積を行うか、が重要な課題となる。情報コストを減らすには、そもそも伝達される情報量を削減すること、情報伝達の経路を短くすること、ノイズが入りロスが生じやすい情報の中継点を減らすこと、等々の工夫が必要である。だが、組織活動において、構成員全員のあらゆる決定について情報伝達を行おうとするかぎり、そのコストは著しく増加する。そして、組織活動が複雑になれば、さらにそのコストは激増する。

●規則の機能

　そこで、そのような情報伝達コストを抑制し、組織活動の効率を高めるためには、一定のパターン化された決定については、いちいち情報伝達を行って、上司へ報告しその指示・命令を仰ぐことなく、決定を自動的に行えるようにする。すなわち、決定に必要な一定の前提を予め規則やマニュアルの形式で決めておき、それに従って決定できるときは、上司の指示・命令なしに

決定できるようにしておくことが便利である。

これが、組織における規則ないしマニュアルの機能である。このような規則やマニュアルが整備されれば、上司が自ら情報の収集・分析そして指示・命令を発する負担は大いに軽減されることになる。上司の任務は、その場合、適切な規則やマニュアルの作成と、それらのメインテナンス、そして規則にはない例外的なケースや重要事項についての決定に限られることになろう。

●規則化の類型

このように決定の前提を予め客観的な基準として定めておく規則化は、組織活動の効率を大いに高めることになり、さらにいえば、規則化が可能であるがゆえに大規模な組織活動も可能になる。しかし、つねにいかなる決定をも規則化できるわけではもちろんない。それでは、どのような場合に決定を規則に委ねることができるのであろうか。

組織の構成員が決定を行う場合、その構成員の思考過程では、まず①何らかの行動を起こすべき状況であるか否かの状況判断と、②何らかの行動を起こすべき状況において、いかなる行動をなすべきかについての行動選択の判断が行われる。どちらか一方、ないし両方を一定のパターンとして客観的に基準で表すことができるならば、決定を規則に委ねることができる。それに関して、次のような三つのタイプが考えられる。

①**自動制御**　パターン化された状況が反復して現れる場合であり、しかも一定の状況に対して取るべき行動も明白な場合には、規則によって決定のあり方を明確に規定することができる。この場合には、上司は部下にいちいち状況を報告させ、指示・命令を出すことなく、部下に決定を委ねることができる。形式的な要件を確認するだけの許認可などが、このタイプに属する。上司は、部下の個々の決定について監督する必要はなく、ときおり業務が適切になされていることを確認するだけでよい。これは、上司がつねに制御することなく決定が行われることから、自動制御と呼ぶことができよう。

②**半自動制御**　それに対して、なすべき対応行動は規則によってメニュー化することが可能であるが、直面する状況がいかなるものであり、メニューの

中のどの行動を行うのが適切な選択であるのかについての判断の客観的基準を定めることが困難な場合がある。この場合には、状況判断についてのみ上司の決定が必要とされる。一度、上司がある状況であると判断するならば、それから行うべき行動は規則に従って自動的に決定される。その意味で、これは、半自動制御ということができる。

③**手動制御**　状況が非定型的であって、しかもなお行うべき行動も状況によって多様であって、予め規則で規定しておくことができない場合である。この場合には、上司は、詳細に報告を受けて状況判断を行い、なすべき行動について逐一指示・命令を出さなくてはならない。そのために、自動制御、半自動制御の場合と比べて、はるかに大量の情報伝達が必要であり、それに伴う情報伝達コストは著しく増加する。

このように述べてくれば明らかなように、組織はできるだけ規則による決定の範囲を広げ、自動制御を取り入れることによって、一体的に、そしてより効率的、機動的に行動できるようになる。そして、そのような規則化が組織活動の全領域にわたって行われ、完全に規則に従って組織活動が行われる状態が、前章で述べたウェーバーの示す理念型としての官僚制のイメージであろう。

ちなみに、日本の行政組織でも、その活動が規則によって規定されていることはいうまでもない。それぞれの部局が所管すべき事項、すなわちヨコの分業のあり方を定めているのが事務分掌規程であり、タテの分業のあり方を規定しているのが専決規程である。

●**組織と環境**

ウェーバーの官僚制のイメージが示すように、組織が精密機械のごとくすべてプログラム化が可能であり、それに従って組織活動が行われうるのであれば、もちろん完全な自動制御に近づくことができよう。今日の情報技術の発展に伴って、行政、民間組織を問わず進められている業務のAI化とは、まさに人間による組織の管理に代えて、コンピュータによる自動制御をめざすものにほかならない。

しかし、まだ多くの行政活動ではそのような規則化は困難であろう。それは、何よりも、行政活動の多くが明確な単一の目的をもった機械的な業務ではなく、また業務遂行の緊急性、迅速性よりも、多様な意見や利害を考慮した慎重な決定を求められる業務だからである。

①**軍隊型組織の場合**　業務内容が単純でその目的が明確な場合や、軍隊や警察・消防組織がそうであるように、業務に特別の迅速性が要求される場合には、その業務を、独立性の高い、閉鎖的な単位業務に分割し、それを割り当てられた組織の各部門が、自己の業務の遂行に専念することによって、自ずから組織全体としての一体的な活動が確保されるように組織活動を編成することができる。

その場合には、各部門が決定に当たって考慮すべき事項は、割り当てられた業務に関する事項だけであり、必要とされる情報もその範囲内に限られ、**図表７－２**に示すように、情報伝達の経路もピラミッド型構造に沿った上下のルートに単純化できる。そうすることによって情報コストを著しく削減することができ、それゆえにまた迅速な活動が可能になる。

たとえば、軍隊組織では、各部隊の任務が与えられると、それぞれの部隊は、原則として、自己の任務の達成だけに関心を払っていればよく、それに必要なかぎりで情報を収集し、それに基づいて決定を行っていればよい。他

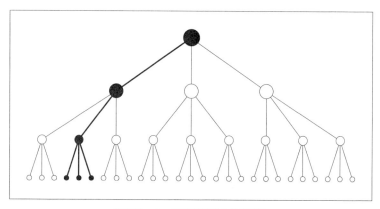

図表７－２　軍隊型組織の情報経路

の部隊との調整や関係機関との情報交換等は不要である。そのような調整は、上部の機関が行うのであって、各部隊に求められる行動は、上部機関の命令に従うことである。

　もし、それぞれの部隊が自ら調整を行わなければならないとしたら、情報の収集・分析に多くの労力的、時間的コストを要するであろうし、不充分な情報に基づく決定では、組織全体として一体的で迅速な行動を行うことは難しい。

②行政組織の場合　それに対して、行政組織の場合は事情が異なる。現代の行政活動の内容は著しく高度化し、それらを他の業務から切り離された独立性の高い単位に分割することは困難である。換言すれば、行政活動の対象とする社会システムの諸要素は相互に密接に関連し合っており、それを解きほぐして閉鎖的なサブシステムを形成することは非常に難しいのである（図表7－3）。

　したがって、分割された業務を担当するそれぞれの部局は、軍隊の部隊のように、他部局との調整について考慮することなく決定を行うことはできない。それらの部局は、つねに組織全体の動きについて関心を払い、他の業務との調整を図り、組織活動の一体性について配慮しなければならないのである。

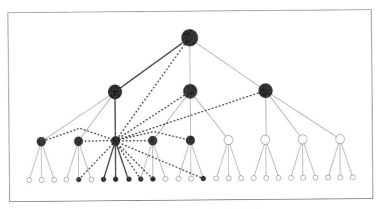

図表7－3　行政組織の情報経路

それゆえ、各部局が決定を行う場合に必要とされる情報伝達の経路も多元化し、錯綜したものにならざるをえない。**図表7－3**のように、ピラミッド型構造に沿った上下のルートはいうまでもなく、他部局とのヨコの情報交換も不可欠であるし、斜め上や斜め下とのルートも必要となる。その結果、決定を定型化することが難しく、規則による自動制御も困難である。

上司からの指示・命令が決定の最も重要な前提であることはいうまでもないが、それ以外にも、活動が競合しかねない他部局との調整を図るためには、その部局の行動に関する情報が決定の前提として非常に重要な意味をもつ。しかも、そのような調整を要する部局の数は多い。このような情報の経路を維持し、そこを伝わる情報の管理を行うことが重要になると、それだけ情報伝達処理に要するコストも増大することはいうまでもない。

●環境の複雑さとセクショナリズム

ところで、このような行政組織の活動は、それを取り巻く環境が複雑になるとそれに応じてより一層複雑なものになり、とくに環境が激しく変化するとそれに適応することが困難になってくる。組織における分業とは、そもそも連続的な環境の一部分を切り取って担当部局の業務とすることであるから、環境の変化は、組織の業務の区分と現実の社会における課題のまとまりとの間に乖離を生じさせることになりかねない。

そのような乖離が生じると、行政活動の重複や必要な活動の欠落が発生するとともに、担当部局の既存業務への固執や自分たちの利益の追求が、現有の所管領域を維持しようとする病理現象としてのセクショナリズムの問題を発生させることになる。それが、環境の変化に応じた柔軟な組織の再編成が必要とされる理由である。

第3節　組織の病理

●組織人のイメージ

さて、これまで組織における決定が、どのようにして決定能力に限界のあ

る複数の人間の決定を統合して行われるのか、そのメカニズムについて述べてきた。これまでの議論で前提とされてきた人間のイメージは、情報処理能力には限界があるものの、その能力の範囲内では、組織目的を達成するために最大限合理的に行動し、組織に対して忠誠心をもつ人間のそれであった。

　しかし、実際に組織で働く人間は、そのように働くとは限らない。彼らは、それぞれ個人として異なる選好をもち、異なる問題関心をもった存在である。ときには自己利益を追求し、組織の利益に反して行動する利己的な人間であることも珍しくはない。

　このような現実の組織人の存在は、組織活動の合理性をさらに制約することになる。たとえば、組織における昇進が勤務成績の評価に基づいて行われる場合に、上司の高い評価が得られるような情報だけを選択的に報告したり、高い勤務評価を受ける可能性のある行動のみ重点的に行うなど、自己に有利な評価がなされるように行動しようとする人物が出現する可能性は否定できない。放置すれば、そのような可能性が組織における病理現象を引き起こすのである。

●組織人のタイプ

　このように、組織で働く人間は、つねに上司の指示・命令に従い、与えられた職務を達成しようと合理的に行動する人間ばかりではない。自分の出世のみに関心をもち、そのために上司に媚び、高い評価を受けることに腐心する「出世主義者」もいれば、仕事よりも、自分自身の生活や家庭第一の「保身主義者」、ときに組織の利益に反しても、自らの社会的使命と信じるところを貫く「活動家」、組織での地位を社会での権力獲得のステップとしか考えない「権力指向者」、さらに自己の行動の社会的意味を問わず、組織と一体化し組織のために命をかける純粋な「組織人間」もいる。

　このような種々のタイプの人間が、さまざまな動機に基づいて行動するとき、組織内を走る情報の流れに歪みが生じ、ノイズが入り、さらには情報の減失が起こることになる。このような病理現象は、多様な人間が構成する組織である以上、完全には回避できない。したがって、できるだけ健全な組織

活動を維持しようとするならば、病理現象の発生をできるだけ防止し、情報の歪曲やノイズの予防策を講じなければならない。

●歪曲予防策

　そのような予防策としては、次のようなものが考えられる。

①**複線的情報経路**　情報の伝達経路が一本しかないと、その途中で情報の歪曲が生じたり、ノイズが発生しても、受信者はそれを把握することが難しい。そこで、それぞれ独立した情報経路を複線的に設置しておくと、それらの経路から来る情報を照合し比較することによって、情報の歪みやノイズをチェックすることができる。しかし、この方法では、情報コストがかさむことは否めない。

②**対抗修正**　情報の発信者の性格等から歪曲が予想される場合には、予め歪められた情報が送られてくることを想定して、それを打ち消すような修正を加えて解釈するという方法である。要するに、送られてくる情報をつねに一定程度割り引いて理解するという方法であるが、事前に歪みの程度を把握しておく必要がある。だが、それは容易なことではない。

③**中継点の削減**　情報の伝達は多くの中継点を経由するほど、歪みが生じる可能性が大きい。そこで、できるだけそのような中継点を減らすこと、つまり前線にいる人間からできるだけ直接情報を得るようにするという方法である。しかし、これには組織の規模や活動の性質、上司の情報処理の負担等から当然制約がある。

④**情報の信号化**　情報の歪曲が起こらないように、そもそも伝達される情報自体を一定の定型的な内容をもった信号ないし記号にしておく方法である。ほぼ確実に歪曲を防止することができるが、複雑な状況についての報告などを予め一定の信号として決めておくことは難しい。したがって、この方法を用いることができる場合は限られているといえよう。

⑤**決定の自動化**　最近の人工知能（AI）等の情報技術を活用して、決定そのものをコンピュータに行わせ、できるだけ情報伝達、判断・決定に人間を介在させない方法である。近年の情報技術の発展はめざましく、かなり高度の

決定もコンピュータが行うことができるようになってきた。正しくプログラムが作られているかぎり、システムは判断ミスを犯さないし、情報の処理伝達過程で歪曲が生じる可能性もない。もちろん、不正を行うこともない。

ただし、まだすべての決定をコンピュータに行わせることは不可能であり、歪曲防止に完璧な方法はまだない。それゆえに、つねに多様な方法を用いて防止に努めなければならないが、いかにシステムの改善を図っても、一定程度の歪曲は避けがたいといわなければならない。

第4節　官僚の心理と行動

●人事管理

以上に述べてきたように、組織で働く人間にはさまざまなタイプがあり、実際には、ウェーバーが描いたような精密機械の部品ではありえない。組織の構造それ自体を整備し、情報の歪曲やノイズに対する耐性を高めたとしても万全ではない。それゆえ、そのような病理現象をできるだけ減らし、組織活動の合理性を高めるためには、できるだけ有能で組織に対する忠誠心の篤い人間を採用することに加えて、一度採用し組織の構成員となった人間を絶えず訓練・教育することによってその資質を高めておくことが必要である。

このように、組織の病理的現象を引き起こす原因を取り除き、組織活動の合理性を高めるには、組織で働いている人間の心理に働きかけ、それを制御していくことが重要であり、それこそが人事管理にほかならない。近年では、公共的な機関や組織に独自に根差した動機に反応する個人の特性を分析する公共サービス動機付け（Public Service Motivation）の研究が進みつつある。その狙いとするところは、まず、組織目的や組織的決定の前提となる価値基準を広く共有させることであり、次いで、組織において働くことに意義を見出すようにモラール（勤労意欲）を高めることである。

組織の目的や価値が共有されなくては、いかに構成員のモラールが高くても、彼らは出世主義者や活動家、権力指向者として行動することになりかねない。他方、モラールの低い保身主義者だけでは、いかに価値が共有されて

いたとしても、組織活動の成果は期待できない。組織の構成員が目的を共有して組織に一体化し、上司に正確な情報を伝達し、上司の命令を忠実に履行してこそ組織活動は大きな成果を生むことができるのである。

●命令と服従——権威受容説

それでは、どのような場合に、部下は上司に正確な報告を行い、上司の命令に従うのであろうか。

通常、上司は、部下に対する人事権や懲戒権を行使して、すなわち部下が命令に従わないならば制裁を加えることによって、部下を命令に従わせることができる。しかし、現実には、そのような制裁を背景にして服従させることは容易なことではなく、たとえそれが可能であったとしても部下のモラールは著しく低下するであろう。

したがって、上司には、そのような脅しの手段を使うのではなく、むしろ部下が自発的に命令に従うような状態を作り出すことが要求される。それには、上司がその職務に関して充分な知識をもち、上司の命令に従うことによってよい結果が生まれることを、部下に確信させること、すなわちそのような命令者の「権威」を部下に受容させることが必要である。一度、このような権威を部下が受け入れると、部下は、以後半ば自動的に、ただそれが信頼する上司の命令であるというだけで、命令に従うようになるだろう。

部下の命令への服従を説明する理論としてこのような「権威受容説」を唱えたバーナードは、命令の内容を問わず、それが権威を認めた上司の発する命令であるがゆえに服従されることから、部下が権威を認め、その命令を理解でき、実行できるかぎり服従する範囲を「無関心圏」と名付けている。

このように権威に基づいて命令への服従を確保するのが理想であるが、現実には、すべての上司が、すべての領域について権威を有しているわけではない。特殊な技術については、むしろ部下の方が権威をもっている場合もある。

では、上司が権威をもっていない場合には、命令は服従されないのであろうか。否、自発的なものではないにせよ、命令は従われる。まず命令者の組

織上の「地位」に基づいて服従される。すなわち、組織において命令を発する者が命令「権」を有するがゆえに、部下が服従するのである。さらに、それでも服従が得られない場合には、前述のように制裁によって担保された服従が存在する。後者に近づくほど、命令は服従されるものの、部下のモラールは低下し、組織の活力は低下する。したがって、いかに上司の権威を高め、権威を受容させることによって自発的に命令に従わせるかが、人事管理の要となる。

なお、制裁を示唆すれば命令は必ず服従されるのであろうか。決してそうではない。現代では、ごく少数の例外を除いて、組織への加入が自由意思に基づいて行われる以上、部下には、最終的に組織からの退出という選択肢が残されている。

では、退出が選択されるのはどのような場合か。そもそも人はいかなる理由で組織に参加するのであろうか。

●組織への参加――組織均衡論

この問いに対して、バーナードは、人間は組織に参加することによって得られる価値と組織に対してなす貢献とが均衡しているかぎりにおいて組織に参加する、という「組織均衡論」をもって答えている。

それによれば、ある人物の組織への参加は、次のようなメカニズムによって決定される。すなわち、人は組織に参加することによって欲求を満たそうとしたり、自分の追求する価値の実現に接近できると考えたときに、組織に参加する「動機」をもっているということができる。そして、その人物は参加が認められ、組織に参加することによって欲求の充足や価値の実現に接近できると感じたとき、組織のために一定の「貢献」をなす。

他方、その貢献を求める組織の側は、その人物に参加してもらえるようにその者が望む何らかの価値を「誘因」として提供する。ここで、この組織の提供する誘因とその人物の貢献とが均衡するとき、その人物は組織に参加し、組織もその参加を認める。そして、この均衡状態が続くかぎり、その人物は組織に留まることになる。

したがって、この均衡状態が崩れたとき、たとえばその人物が貢献に見合うだけの誘因が提供されないと判断した場合には、組織から退出することになる。ただし、実際に退出するかどうかの判断は、その他の要因によっても影響される。たとえば、他の組織への就職が難しいような場合には、提供される誘因に不満があっても組織に留まることもあろう。そのような場合に、その者は、不満を抱いたままただ耐えるのではなく、組織の処遇や上司に対して抗議し反抗する場合もある。怠業、命令への不服従、面従腹背の態度、前述した情報の意図的な歪曲などがその手段であるが、そのような反抗に対して、上司の権威は通じず、その場合に命令に服従させるためには、制裁による担保が必要になる。しかし、制裁に依存して多くの構成員の人事管理を行わなければならない状態は、もはや組織にとっては健全な状態とはいいがたい。

●組織管理の課題

　以上、２章にわたって官僚制ないし大規模組織の構造および機能的特質について論じてきた。現代では、行政組織の活動が円滑かつ体系的に行われてこそ、前述した社会管理の機能を充分に果たすことができる。それには、官僚制ないし組織のシステムがしっかりと形成されていることがまず重要であるが、それに加えて、組織で働く人間が組織に対する忠誠心をもち、高いモラールを維持し続けることが不可欠である。しかし、完璧な組織は存在しない。多くの組織がさまざまな問題点を抱え、それを克服するために多大な努力をしているのが現実である。

第8章 日本の行政組織

第1節 日本の行政組織の特徴

　第5章で述べたように、わが国の行政組織については、執政部門である内閣と行政組織である府省の一体性が強調されてきた。しかし、1990年代にはじまった一連の行政改革によって、内閣機能が強化されるとともに、府省組織のあり方も変わった。

　この章では、前章までで論じてきた官僚制論、組織論を踏まえて、戦後の日本の行政組織の特徴とともに、その後のわが国の行政組織の変化について述べることにしたい。

●日本の行政組織の特徴

　わが国の官僚制は、しばしば「日本官僚制」と称されているような一枚岩的存在ではない。むしろその特徴として指摘できるのは、行政機構を構成している府省の「縦割構造」である。すなわち、相互に自律的な府省組織を核とする一種の「府省共同体」が府省の数存在し、それらがそれぞれ一定の所管領域を「分担管理」し、その領域の維持拡大を図りつつ共存している構造である。

　日本の国の行政組織には、かつては大臣を長とする主要な府省として総理府および法務省、外務省等の12省と総務庁、防衛庁等8庁が置かれていた。このような府省の編成は、戦後かなり早い時期に形成され、高度成長期を通して確立され、その後の内外情勢の変化にもかかわらず持続してきた。

　各府省が、自己の所管領域に固執し、既得利益の拡大を図るセクショナリズムは、何も日本の行政組織だけにみられる特徴ではない。おそらく世界の

あらゆる官僚制に共通してみられる傾向であろう。しかし、日本の行政組織が他の諸国の官僚制と最も異なっている点は、これらの府省組織が非常に安定しており、その枠組みが硬直的であることである。

多くの国では、政権交替や政策転換によって府省組織を改編することは珍しくはない。だが、日本の府省組織は、内部組織は比較的柔軟に改編されることがあったものの、少なくとも1990年代までは、府省という枠組みはかなり安定していた。新たな政策課題へ対処するために各府省の外局である庁が新設されたケースはあるが、既存の府省組織を全面的に廃止・解体して、新設したケースはなかったといってよい。

●府省組織の自律性

日本の府省組織が、このように自律的であって、安定していた理由としては、次のようなものが考えられる。

第1に、人事、とくにキャリアと呼ばれる幹部職員の人事が、府省単位で行われてきたことである。公務員試験の実施や採用は人事院が一括して行ってきたが、府省への配属人事は各府省が行い、ひとたびある府省に配属が決まると、以後の人事は、退職後の再就職先に至るまで、その府省が行うシステムが存在していた。次章で述べるように、閉鎖的な人事システムが、職員に、帰属する府省組織への一体感と忠誠心を醸成し、府省組織の自律性を生み出してきたのである。

第2に、行政機構全体からみればサブ・システムに当たる各府省組織のシステムが、内部の職員だけではなく、その府省の活動の対象者の集団をも含んだ「府省共同体」とでもいうべき一種のコミュニティを形成してきたことである。

日本の各府省組織は、前述のように一定の所管領域を分担して担当しており、各府省は、その領域内で発生するできごとに対しては、排他的に関与し管理する権限を有しているとともに、包括的な結果責任を負っている、と認識されてきた。各府省は、所管している事項はもとより、それに携わる人々を組み入れて共同体を作り、その緊密な人的ネットワークを通して、所管事

項を管理し、共通利益の防衛と拡大を実現しようとしてきたのである。

　このようなネットワークには、業界や一定の行政サービスの受給者の団体など行政活動の対象者の集団のみならず、その所管事項に利害関心をもつ政治家も含まれており、彼らが、予算要求の場面等で、自己の属する府省共同体のためにいわゆる「族議員」として活躍してきたのである。

　第3に、厳格な「分担管理の原則」が、各府省の最高決定権者である主任の大臣の権限を非常に強力なものにしているとともに、各府省の自律性と行政機構の縦割構造を法的に正当化する主要な原理として存在してきたことである。この原則については、すでに第5章で述べた。

●行政システムの多元的構造

　日本の行政システムは、長期にわたってこのような府省共同体という自律的なサブ・システムからなる多元的構造を有してきたと考えることができる。それを図示すれば、**図表8－1**のような花びら型ないしピザのイメージで表すことができるであろう。一片の花びらないしピザの一切れが、各府省共同体を指しており、中央が政策を決定する政治の中枢、そしてそれを取り巻く形で、府省組織とその共同体が存在している。

　このような行政システムは、多元的な視点から広く政策を考えることができるという利点をもっているが、その縦割構造から、自己の領域の維持・拡大に執着する傾向を有しているため、複数の府省の領域にまたがる課題に的確に対応することができず、いわゆる「なわばり争い」による弊害が多かった。

　とくに、情報化、高齢化、国際化への対応等、それ以前には既存の府省のいずれの所管領域にも属していなかった新たな問題が発生した場合などに、その傾向は強くみられ、類似した施策が複数の府省によって実施されるなど、行政サービスの顧客である国民や地方自治体が不便を被ることも少なくなかったといえよう。

　このような単位組織間のなわばり争いは、およそどの組織でもみられる現象であろうが、前述のように、自律性の高いわが国の府省組織の場合には、

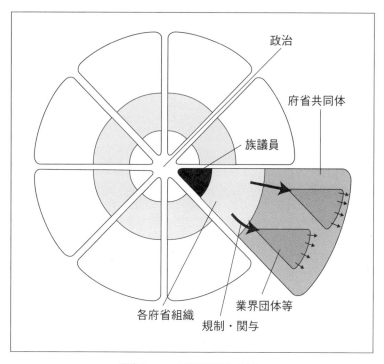

図表8−1　日本の行政システム

とくにそれが弊害として現れた。それに対しては、府省間で、何らかの方法によって政策や活動の調整がなされなければならないが、わが国の場合、社会環境の変化に対して府省組織の編成が硬直的であるだけに、調整のコストが著しく高かったのである。

第2節　決定の方式——府省間調整

●府省内決定と府省間調整

　行政府における法案や予算等は、それを所管する府省の原案を府省間で調整し、内閣で正式に決定される。府省内部での決定は、わが国独特の方式である「稟議制」によって行われているといわれてきたが、稟議制にも、決定

の形式や決定状況によって多様な方式がある。さらに閣議決定に至る場合には、府省間の調整過程が重要になる。

そこで、行政府における主要な決定である予算編成と法案の作成過程のうち、予算編成過程については第9章で述べることとし、ここでは、法案の作成過程を概観し、日本の国の行政機関における決定と調整のメカニズムについて考察することにしよう。

● **法案の作成**

行政組織の重要な活動資源である権限は、それを規定する法律によって付与されることから、法案の作成過程は、予算編成とともに、各府省にとって多大な労力を投入しなければならない重要な作業である。

法案には、内閣が提案するもの（閣法）と国会議員が提案するもの（議員立法）とがあるが、大半を占める内閣提出法案の作成過程は、まず担当課の職員が、必要とされる法制度の内容や関連法令を調査し、原案を作成する。それは、立法理由をはじめ、骨子、そして条文作成へと次第に肉付けされていくが、その過程で、関係部門から情報を集めて案を練り、法律としての体裁が調えられていく。そして、原案を作成後、局内の上司や他の課、所属する府省の幹部や関係他局の同意を得て、所管府省としての案に結晶させていく（図表8−2）。この段階で重要なのが、府省の官房に置かれている文書課等による法令審査である。

府省でまとまった原案は、他の全府省に送られ、その合意を得るための協議が行われる。各府省は、自己の政策との関係や、現在および将来の利害等を検討して、原案に修正を求める。修正を求められた側は、受け入れられるものは受け入れて修正し、そうでないものは拒否を回答する。相手がそれに応じない場合、議論の応酬が行われ、最終的に妥協点を見出す。

次の段階は内閣法制局の審査であり、法律の内容、形式、他法令との整合性等について詳細かつ厳密な審査が行われ、必要な修正が求められる。そして、この内閣法制局の審査を通ったものが、閣議で法案として決定され、国会に提出される。

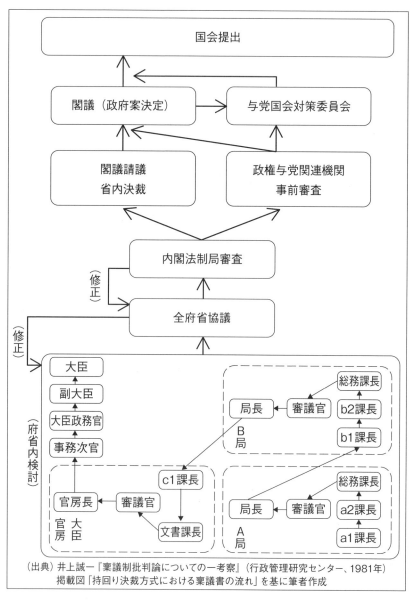

図表8-2　法案の作成過程

このように、法案の作成過程では、各府省間の協議という水平的調整が行われているが、内閣としての一体性と法体系の整合性を確保するために行われる内閣法制局の審査が重要な機能を果たしている。
　なお、上述の過程で、政権与党の関連機関における事前審査が必要とされる。閣法といえども、政権与党との協議と承認に基づいて国会へ提出されるのであり、与党が事前に承認しない法案は、国会で成立する可能性は低い。逆に、与党の事前の承認が得られていれば、国会での審議も円滑に進む可能性が高いといえよう。
　また、野党への説明も、この過程で行われる。政治主導の傾向が強まり、国会での与野党の議論が重みを増すようになるにつれ、国会での法律のスムーズな成立を図るためには、与党のみならず野党の意向を探り、その主張に配慮することも重要なのである。

●**調整のメカニズム**
　これまでのわが国の行政システムでは、前述のように、府省の自律性が高いため、府省間の活動の調整は、内閣主導による垂直的調整よりも、むしろ府省相互間の水平的調整によってきた。この場合、各府省の所管領域内の事項については、もっぱらその府省が政策立案を担当し、その結論について、他府省の合意を得ることによって、行政府全体としての決定となる。
　これは、異なる観点からみると、各府省は他の府省の政策に関して拒否権を有していることにほかならず、全府省の承認が各府省の政策が採用される条件となる。そのため、各府省は、他の府省が拒否権を発動しないように、反対する府省との間で粘り強く交渉し、妥協すべく努力することになるのである。
　しかし、拒否権は全府省がもっており、協議の機会は将来にわたって無限に訪れることから、協議のあり方、妥協の方法、拒否権発動の場合についても、次第に相互学習が進み、そこに一定のルールが形成されてきた。そして、相互学習の成果が蓄積されるにつれて、調整方法に関するルールや技術も高度化し、洗練されて複雑なものになり、それとともに、閉ざされたメンバー

による調整であることから、その洗練された複雑なルールは、外在者にとっては、排他的で不透明なものになっていた。

● 水平的調整の必要条件

このような調整のメカニズムが機能してきたのは、第1に、安定した縦割構造の下で、各府省の既存の所管領域を尊重し、財源をはじめとする資源の獲得競争の対象を、新たな領域や資源の増加部分、すなわちパイの拡大部分の配分のあり方に限定するというルールが確立されていたからである。したがって、特定府省の特定の活動が廃止されたり、配分される資源が大きく削減されることはまずなく、行政改革等で配分資源の総量が削減される場合には、一律削減方式が採用された。

第2に、このメカニズムが機能するためには、前提条件として、獲得競争の対象となる資源が毎年確実に存在すること、すなわちパイが拡大し続けることが必要である。したがって、低成長時代に入って税収が減少し、配分できるパイが縮小した場合には、活動のための資源獲得競争は激化した。

しかし、第1で述べたルールが存在しているため、各府省の行動は現有資源の確保・防衛に向かい、結果として、配分枠の硬直化が生じるようになった。新規課題への対応は、各府省の枠内でのスクラップ・アンド・ビルドによることになるが、全体としての行政活動の硬直化は免れなかったのである。

このような場合、内閣による調整、すなわち垂直的調整の発揮が期待されるが、前述のように、分担管理の原則や府省設置の法定主義などの制度的な制約や、内閣機能の補佐部門が弱体であったことなどから、現実には、資源を特定政策に重点配分したり、ある府省の組織や活動を廃止ないし統合するなどの大胆な政策展開は困難であった。

そのため、一方では、このような硬直的な府省編成を弾力化し、スリムな形に再編成することが、他方では、柔軟な政策展開が可能になるように、内閣機能の強化、中でも内閣の垂直的調整機能の強化が、行政改革の課題として掲げられたのである。

第3節　行政組織の改革

● 改革の契機

制度は一定の環境の下で有効に機能する。環境が変わり、制度がその変化に適応できないとき、改革が必要になる。

日本では、1990年代に入り、政治・行政を取り巻く環境がそれまでとは大きく変わったことから、それ以後、わが国の基幹的な制度の抜本的な改革が行われるようになった。

第5章ですでに述べたように、橋本内閣の行政改革会議による諸改革がそれである。このときの改革では、それまでと異なり厳しくなった財政状況、すなわちパイの拡大が期待できなくなった状況の下で、まず第1に、政府における行政活動および行政組織の縮小、すなわちスリム化が図られた。その具体的な内容が、府省の統合再編であり、行政活動の外部化、すなわち独立行政法人制度の創設である。

そして、第2が、前述したような府省の縦割構造による行政活動の硬直化を打破するための内閣機能の強化である。改革の具体的な内容としては、内閣官房の機能の強化および行政組織の中枢管理機能を担う組織の設置であった。ただし、実際には、そのような狙いで作られた内閣府に強力な中枢管理機能は付与されず、また実施部門も有する性格が不明確な機関となったことは既述の通りである。

このような内閣機能の強化の背景には、政治主導の流れがある。経済成長の鈍化により民意に応えられなくなった行政に対して、民意を代表しているという立場から、政治が行政機関を批判し、政策形成の担い手として主導権を主張したのである。

以下では、このような視点に立って、府省再編、総合調整機能の強化、そして独立行政法人制度について述べることにしよう。

● 府省再編

肥大化した行政部門をスリム化するための方策として、行政改革会議は、

大規模な府省の再編を提案し、1999年の国会で関係法が成立した。それによって、戦後長期にわたって安定していた行政組織の構造が大きく変わることになった。

　府省の再編成については、**図表８－３**のように、それまでの１府12省と大臣を長官とする８庁の組織を、10省と内閣府および内閣府に置かれる防衛庁、国家公安委員会、金融庁に統合した。これは、戦後設置された府省の編成が、何度かの改革の試みにもかかわらず、基本的に変わらなかったことを考えるならば、画期的なできごとということができる。

　具体的な府省再編案に関しては、それまでの建設省・運輸省・北海道開発庁・国土庁が統合されて国土交通省に、厚生省と労働省が厚生労働省に、また文部省と科学技術庁が文部科学省に、そして自治省、郵政省、総務庁等が総務省に統合されたほか、それまでの環境庁に代えて環境省が新設された。それ以外の省については、大蔵省が財務省に、通商産業省が経済産業省に名称を変えたが、所掌事務は実質的に変わっていない。それ以外に、前述のように、これらの各省とは性質が異なるが、内閣の下に内閣府が設置された。なお、防衛庁は、2007年に防衛省になった。

　この府省再編は、前述のように、行政組織の構造を大規模に変えた点、とくにそれを政治主導で行い、それまで不変と思われてきた府省の統廃合を実現し、行政組織が変わりうるということを示しえた点は高く評価できる。

　しかし、スリム化という観点からみたとき、省の数は減ったものの、それによって実質的に行政活動の量を削減したかというと、そうとはいいがたい。また、基本的な行政組織の編成を法律事項としていることから、組織編成自体を弾力化したとはいいきれず、このときの府省の統合再編が、政策体系の観点からみて合理的なものであるかどうかについては、さまざまな評価ができよう。

　少なくとも、行政活動を根本的に見直して最適の組織を編成したというよりは、それまでの府省という部屋の間の壁を取り払って部屋を大きくしたにすぎず、府省共同体の縦割構造にくさびを打ち込むことができたかという点も、その評価は今後の課題である。それを検証するには、それまでの人事採

第8章 日本の行政組織

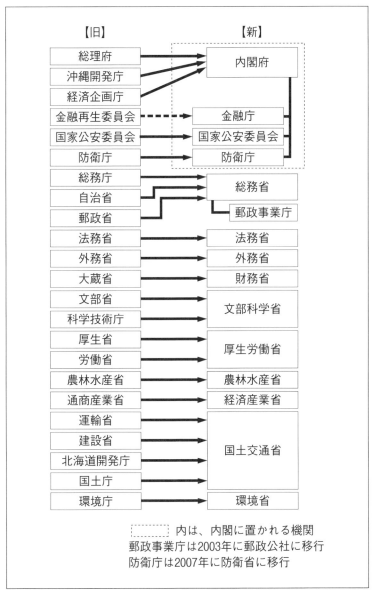

図表8−3　行政改革による府省再編

用制度の改革とその結果をフォローしてみなければならない。

●調整の制度

　第2節で述べたように、わが国の行政システムは、強力な垂直的調整メカニズムを欠いていることが課題であったが、行政改革会議は、この点についても進んだ提言をした。

　それは、内閣としての総合調整の方法を3段階に分け、第1段階を内閣官房による調整、第2段階を内閣府に置かれる特命担当大臣による調整、そして第3段階を省間の水平的調整とするものであって、それぞれの調整を組み合わせることによって、内閣機能、とくに総合調整機能の強化を図ることをめざしている。

　その後実際に制度化された調整の仕組みは、この構想通りではないが、内閣府に多数の特命大臣が置かれるとともに、内閣の下に各府省の所管領域を越えた諸課題について担当する「地域再生本部」「社会保障制度改革推進本部」等の多数の「○○本部」が設置され、官邸による調整機能が強くなったことはまちがいない（図表8－4）。

　もちろん、このような内閣の調整機能の強化は、行政改革によって実現されたものではあるが、それよりも、ときの首相や政権党のリーダーシップという政治的要因によるところが大きいといえよう。

　第5章でも触れたように、政府の中枢管理機能である予算編成や総合的・長期的な総合科学技術政策の策定において、内閣の主導性を高めるべく設置された経済財政諮問会議や総合科学技術会議（その後「総合科学技術・イノベーション会議」に改称）が、実質的に政策の形成において内閣としての主導性を発揮しえたのは、小泉内閣時の首相の強力なリーダーシップによる。

　その後政権についた内閣は、このような内閣主導の形態を踏襲した。とくに財政が厳しくなり、各府省の政策資源が枯渇し、社会的課題への各府省の対応能力が低下してくるとともに、府省横断的な課題が増えてくるにつれ、前述のように、内閣の下に「○○本部」等が設置されるようになり、その数は次第に増えていった。

第8章　日本の行政組織

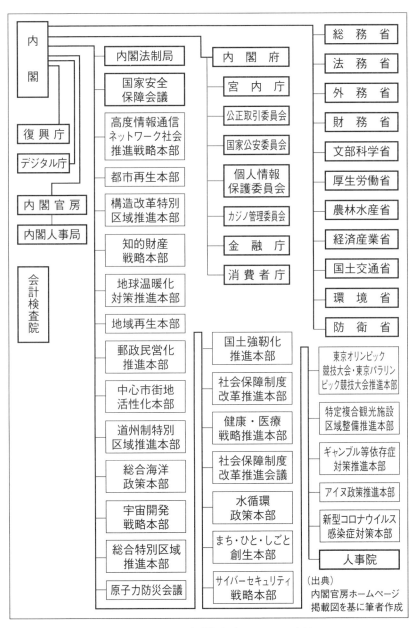

図表8－4　現行の組織編成（2021年10月時点）

これは、政治主導が強化されるに伴い、政権トップに近いところに担当組織を置くことによって、その実現を図ろうとする傾向の現れということができよう。要するに、担当組織をトップに近いところに置くことによって、社会的な注目を集めるとともに、トップの決定によって、確実な政策の実現が期待されているのである。だが、これらの個別の政策課題を担当する「本部」等の濫設が、今度は、それらの組織間および府省との調整の必要性を増加させ、むしろ問題の処理や解決を困難にする可能性があることも否定できない。

　このように日本の行政組織においては、社会経済状況の変化に伴い、次第に政治主導の傾向が強まり、内閣への機能の集中、内閣官房等中枢管理機能を担う組織の拡大が続いている。そして、2014年には、内閣人事局が設置され、中枢管理機能のうち、最も重要な各府省の幹部公務員の人事権が各府省から内閣人事局に移された。他方、内閣官房および内閣府への業務が過度に集中したため、2015年には見直しが行われた。

　もう一つの主要な中枢管理機能である予算編成を担当する組織については、財務省に置かれたままだが、予算の実質的な枠組みの決定に関して内閣が果たす役割は、現在では相当拡大している。

　その後、近年重要性を増している社会および行政分野のIT化を、一元的に担当する組織として、2021年には、デジタル庁が設置された。この組織は、IT関連の事項については、強い権限を有し、これまでそれぞれ独自に導入を図ってきたシステムの統合をめざしている。

　さて、これまで1990年代以降の行政改革と行政組織の変遷に関して、その内閣機能強化に焦点を当てて論じてきたが、前述のように、橋本行政改革がめざしたものには、行政活動の外部化によるスリム化もある。橋本行革におけるスリム化改革の象徴ともいえる「独立行政法人」制度の創設について、次に述べることにしたい。

第4節　独立行政法人

●原型としてのエージェンシー

　独立行政法人制度の原型は、第3章で触れたように、イギリスで誕生した「エージェンシー」(agency) と呼ばれている制度である。ただし、日本の独立行政法人制度は、原型となったイギリスのエージェンシー制度と異なり、行政組織の執行部門の管理手法を変えて効率化を図る仕組みというよりは、むしろ特定の部門を行政組織の外に出し、法人格を独立させることによって、管理運営の弾力化を行い、それによって組織活動の活性化をめざす仕組みである点が強調されている。

　しかし、基本的な制度枠組みは、エージェンシー制度と類似しており、目標の達成度という結果の管理によって、行政活動の質と効率性の向上を図ろうとする制度であることに変わりはない。

　制度の骨格は、1999年に成立した独立行政法人通則法によって規定されているが、各独立行政法人の設立とその具体的な業務や管理体制、管理手法等については個別の設置法に委ねられており、それぞれに法人がその業務の特性に応じて、それにふさわしい形態の組織を作ることができる仕組みとなっている。

　また、2004年からは、国立大学も、独立行政法人に類似した国立大学法人となり、設置形態が変更された。

●独立行政法人制度

　当初の通則法に定められた独立行政法人制度の特徴は、下記の通りである。
　第1に、国から独立した法人格をもつ。
　第2に、法人の業務については、主務大臣が3～5年間の中期目標を定め、それを法人に指示する。法人は、それに基づいて、効率化、業務の質の向上の目標達成のためにとるべき措置、予算等を定めた中期計画を策定する。
　第3に、法人の活動業績については、所管する府省に置かれる評価委員会が目標の達成度を評価し、その評価結果は、次期の中期目標や交付される運

営費交付金の決定などに反映される。

　第4に、法人の長および監事は、主務大臣が任命する。他の役員は、法人の長が任命する。

　第5に、法人の活動に必要な資金は、「渡しきり」で使途を特定されない運営費交付金として交付される。

　第6に、職員については、公務員としての身分を有する公務員型と、そうではない非公務員型が類型として設けられたが、この点に関していえば、いずれにしても、行政のスリム化という観点からみたとき、それまで国家公務員であった多数の職員が、独立行政法人化によって、国家公務員でなくなることになり、まさに公務員数の大幅な削減というスリム化の達成と意味付けられた。

●独立行政法人制度の問題点

　個別法の具体的な内容によって異なるが、10年余の運用ののち、この制度は、いくつかの問題点が指摘され、2015年に大幅に改正された。

　問題点として指摘された第1は、当初、多様な性格の機関がこの制度の対象となったが、それらの中には、たとえば試験研究機関のように、この制度に適しているとはいえない機関も多数含まれていたことである。

　第2は、その結果、法人化することによって業務の効率化およびサービスの質の向上を達成するメカニズムが必ずしも明確ではないことである。

　そして第3は、この制度の狙いが、もっぱら社会管理の視点に立って、業務の遂行過程での政治的介入を遮断し、経営の論理を業務運営に貫徹することであるとするならば、監督機関の関与の機会がかなり多く設けられていたことである。

　これらの問題点を改善するために、2015年の法改正では、独立行政法人を、業務の性質に応じて、従来の独立行政法人が想定していたタイプの「中期目標管理法人」、とくに試験研究機関を対象とした「国立研究開発法人」、そして府省の指示・関与の下に行政事務の確実な執行を行う「行政執行法人」の三つのタイプに再編した。それによって、より組織の趣旨に沿った組織およ

び管理の仕組みが採用されたといえようが、真にこの制度が業務の達成および効率化に資するか否かは、制度のあり方とともに、その運営のあり方、すなわちマネジメントのあり方に依存している。

第9章 人事管理と財務管理

第1節　日本の公務員制度

　前章では、日本の行政組織の特徴について述べたが、この章では、それに密接に関連しているわが国の公務員制度と財政制度について述べる。まず、それぞれの制度について概観し、その後で、それらが現在直面している問題点等について論じる。

● "公務"と公務員制度

　公務員の概念を広く捉えれば、それには、選挙で選ばれた政治家や非常勤で任命されている審議会の委員なども含まれるが、ここでは、採用試験等によって採用され、専業として公務に従事している、官僚と呼ばれる狭義の公務員を対象とし、とくに、キャリアと呼ばれる国の府省の幹部職員の人事システムを中心に述べることにしたい。

　そのような公務員は、戦前は、「官吏」と呼ばれ、戦後新しい憲法の下で「公務員」となった。後で触れるように、戦後、「公務員」となることによって、公務員に関する制度も変わったが、戦前、戦後を通して制度の構成原理は基本的に変わっていない。

　すなわち、第6章で述べたウェーバーの官僚制論が描く、高い専門能力に基づいて選抜され、天職としての職務の遂行に全力を投入する禁欲的な公務員像が前提とされている。そこでは、公務員は、厳格な試験によって専門能力を審査され、試験に合格することによって、一般社会とは異なる"公務"の世界の人間となる。その公務の世界も、求められる能力によっていくつかの種類に区分されており、それらの間には序列がある。それは、戦前の官吏、

雇、傭人の種別や奏任官、判任官等の官吏内部における序列であり、戦後の公務員制度の下でのキャリア、ノンキャリア等の公務員試験の種別による序列である。

　このように一種の身分制的公務の世界に入った者は、原則として、生涯その中で働き、その閉鎖的な人事システムの内部で昇進していく。彼らの職業倫理は、公的な対象に対する忠誠心に基づいて、職務を使命として遂行することであり、忠誠の対象が、戦前の天皇から、戦後の主権者たる国民の総体、換言すれば「天皇の官吏」から、戦後の「全体の奉仕者」（日本国憲法第15条第2項）へと変わったものの、求められる基本的な資質に変化はないといえよう。

　具体的には、公務員は、「国民全体の奉仕者として、公共の利益のために勤務し、且つ、職務の遂行に当つては、全力を挙げてこれに専念」（国家公務員法第96条第1項）することが義務付けられている。他方で、高い社会的評価は付与されるものの、報酬は職務と責任に応じて支給され、私的な利益追求は許されない。さらに、任命権者による恣意的な免職等に対する身分保障はあるものの、公務に従事することから、厳格な服務規律と政治や私的利益に対する厳しい中立性が求められる。

●戦後の公務員制度
　このような公務員像は、基本的に変わらないものの、戦後改革によって、公務員制度には、民主的、科学的要素が取り入れられた。戦後、連合国軍最高司令官総司令部（GHQ）の指示に基づき国家公務員法が制定されたときには、職務の分類を行い、各職務に必要とされる能力や処遇を定め、それに従って職員の任用・給与等の人事管理の仕組みを形成する「職階制」の導入が試みられた。しかし、アメリカのように、労働市場が流動的で、ある職の欠員が生じるごとに、それに適した人材を採用するという開放的人事システムの場合と異なり、後述するような、終身雇用を原則とする日本の閉鎖的人事システムの下では、職階制の導入は難しく、長期間の試みにもかかわらず、この導入計画は挫折した。

　しかし、戦前の官吏制度と異なる新たな要素が、戦後の公務員制度には導

入されている。

その第1は、公務員の労働者としての基本的権利が認められたことである。ただし、公務員は、国民生活にとって重要な公務に従事することから、職種によってその内容は異なるが、労働基本権は制限されている。

第2に、労働基本権を制限することの代償措置として、給与の決定に関しては、独立的な機関として設置されている人事院による勧告の制度が設けられた。これは、民間企業との均衡を考えて、公務員の給与水準を勧告する制度であるが、給与の原資である予算が財政民主主義の原則によって国会で決定されることや、勧告を政府が尊重することによってはじめて代償措置として機能する制度である。

第3に、厳しい政治的中立性が要求されている。そのため、公務員の政治的行為は、選挙権の行使を除いて一律に禁止され、懲戒処分によって担保されている。

以上、わが国の公務員制度の特徴について述べてきたが、次に実際の公務員、とくにキャリアと呼ばれている高級官僚の行動ないし人事システムの特徴についてみていくことにしよう。この実際の人事システムは、近年、変化しつつある。日本を取り巻く環境の変化と第5章でも述べた政治行政関係の変化により、かつてその優れた点として評価されていた特徴が失われつつあるともいえよう。以下では、まずかつての人事システムの特徴を述べ、次いでその変化について述べる。

第2節　官僚の人事システム

●閉鎖的人事システムと終身雇用

国家公務員試験の上級職、Ⅰ種ないし総合職で採用された公務員は、高級官僚と呼ばれ、大きな影響力と高い能力をもつ彼らの存在が、日本の政治行政システムの特徴としてしばしば指摘されてきた。彼らは、第8章で述べた府省共同体の中心の担い手であり、府省ごと、さらには職の専門性のグループごとの閉鎖的人事システムに所属してきた。その人事システムの特徴と

しては、次の4点を挙げることができる。

　第1に、終身雇用を前提とした厳しい入口選抜制である。すなわち、公務員試験は人事院によって実施されるが、採用は各府省によって行われ、一度ある府省に勤めることになると、原則として、生涯その府省の人事システムに所属することになる。生涯所属するというのは、その人事システムの中で昇進し、退職後の関係団体等への「天下り」と称される再就職もその府省の人事の一環として行われていたからである。

　もちろん、異動・昇進の過程で、外部の組織や他府省へ出向することもあるが、それは、いうなれば現住所の移動であり、本籍はあくまでも最初に入った府省に置かれ、異動はその府省の人事システムの中で行われる。このようなシステムの下では、長期にわたってともに働く仲間の選択であることから、採用時、すなわち入口での選抜が非常に重視される。

　第2に、このシステムでは、組織が必要とする能力をもった人材は、組織内部で養成するのが原則である。府省内の多くのポストを比較的短期間で歴任することにより、職務を通してその府省に必要な能力を身につけていく。もちろん、その異動の範囲は、土木、機械、建築等の技術系の区分で採用された技官の場合のように、ある程度限られた専門分野に限定されることもあるが、事務官の場合には、広く多分野を異動し、そこに共通する法制、予算、会計等の執務知識と社会管理の技術を習得していく。

　第3に、このシステムでは、一度入省すると、内部で昇進していく終身雇用が原則であることから、入省後の若い時代は組織への貢献に比べてその対価である報酬は少なく、長く勤務し昇進するにつれて、給与のみならず社会的な評価を含めた報酬も増え、退職時、さらには退職後の再就職先での報酬を得ることによって、貢献に見合う対価が得られる仕組みになっていた。したがって、退職後も含めて生涯勤めなければ採算がとれないわけであり、それが昇進の過程で、とくに若い時代において、高いモラールを生み出してきた。

　第4に、このシステムの下では、昇進することが原則であるが、そこには、より高いポストを求める仲間同士の厳しい競争が存在している。とくにピラ

ミッド型の組織構造のゆえに上に行くほどポストの数が少なくなるため、同年入省者間の競争は、昇進するほど熾烈になる。そして、ある者が上位のポストに就いたとき、同等のポストに就けなかった同期の者は退職し、後輩に席を譲る。

　この席取りゲーム型出世競争のルールによって、つねに一定のポストに新しい世代の人材を抜擢することが可能になっており、それも彼らの高いモラールを生み出す一因であった。しかし、このシステムが円滑に作動するためには、早期に退職した者を処遇するに充分な次の再就職先、すなわち「天下り」先が確実に存在することが必要であった。

　このような人事システムは、何も高級官僚の世界にだけ存在しているのではなく、閉鎖的な人事システムによる終身雇用は、日本社会に広くみられた雇用慣行である。このような仕組みによって、従業員の組織への忠誠心と高いモラールを作り出してきたのが、日本的人事管理といわれてきた方式であり、その最も洗練されたシステムが、高級官僚の世界で形成されていたといえよう。

●社会情勢の変化と人事システムの改革

　このような、府省ごとに完結した人事システムが機能していくためには、昇進のためのポストが確保されることや、組織が必要とする能力が内部で調達できなければならない。しかし、行政改革について述べた第3章で触れたように、近年、このような必要条件を満たすことが次第に困難になり、システムの改革が求められるようになった。

　第1に、充分な数のポストを確保することが困難になってきたことである。一つには、90年代のいくつかの不祥事を契機として、民間企業等への「天下り」に対する規制が厳しくなってきたためであり、もう一つは、日本社会の高齢化によって、平均寿命が延びるに従って退職後の生存期間が長くなり、必要な退職後のポストが相対的に不足したことによる。その結果、昇進・退職年齢が次第に高くなり、昇進の停滞を生み出すようになった。それは次世代の公務員のモラールの低下をもたらし、また、かつては退職後、広く開か

れていた政治家への道も、退職年齢の上昇によって狭くなったのである。

　退職後の生活の保障を図り、昇進の停滞等の問題を解決するために、その後、定年後の再雇用制度が導入され、さらに定年の延長が2021年の国家公務員法改正により導入されることになった。今後、それまでの60歳の定年を2年ごとに1歳ずつ65歳まで引き上げることになる。

　第2に、新しい技術開発や経済の国際化により、従来、府省組織内部で養成していなかった能力が必要とされるようになったことである。それまでは、人事交流等でその必要を満たしてきたが、閉鎖的な人事システムの下では、それにも限界がある。だが、必要な能力をもった人材を、外部から調達して昇進ルートの途中に置くことは、入口選抜の原則に反し、人事システムを崩壊させることになりかねない。

　それが顕著にみられたのが、ITの分野であり、行政分野へのITの導入が焦眉の課題であるにもかかわらず、その専門家の採用と処遇等において必要な対応が行われてきたとはいいがたい。

　また、これまでの人事システムが、第8章で述べたように、分担管理の原則に基づいて府省単位のシステムとして形成されており、その府省への所属感がシステムを支えていたことから、このような中途での専門家の採用は、それまでのシステムを崩壊させる可能性がある。府省の壁を打ち破ろうとして提案された政治的任命職の拡大や、内閣人事局の設置をめぐる議論における幹部公務員の任命権の内閣への移管に対する彼らの消極的な姿勢も、そうした問題意識から生じていたといえよう。

　なお、2021年に設置されたデジタル庁では、多くの人材を民間から採用した。これらの人材が、公務員制度の中でどのように位置付けられるのか、今後の改革の成果を注視したい。

　第3に、これは幹部公務員だけではなく、公務員一般に関わる問題であるが、財政難から行政改革のために公務員の定員削減が求められており、従来のように必要な数の公務員を確保することが困難になってきたことである。その結果、以前は、年齢とともに、昇進して一定数の部下をもち管理職としての仕事を担当するはずの人材が、長期にわたって管理職としての業務に専

念できない状態に置かれている。

　またそのような理由から、非常勤職員（パートタイム公務員）をはじめ、公務従事者の類型の多様化もはじまり、従来のような公務員像と閉ざされた公務の世界というイメージが変容してきたことも否めない。

　そして第4に、第5章で述べたような行政に対する政治の優位、政治主導の流れが、大きく公務員についてのイメージを変えたことも指摘しておきたい。社会情勢が変わり、それまでのような成長が期待できなくなったとき、既存の自律的な官僚システムはその役割を果たせなくなり、期待に応えられず、信頼を失ってきた。

　それに代わって、民意を代表しているという立場から、官僚制を批判し、改革を求めたのが政治家であり、政党である。彼らは、わが国の停滞の原因の一つが、硬直化した縦割構造の官僚システムにあると指摘し、その改革を試みた。そして政治主導を実現するために、内閣機能の強化、府省の統合再編に加えて、公務員の人事行政の内閣への一元化に取り組んだ。

　その結果、2014年に作られたのが、公務員制度の骨格や方針を定め、行政組織の機構・定員に関する事項、そして府省の幹部職員の人事の一元的管理を行う機関である内閣人事局である。

　公務員の人事、とくに幹部の人事を行うことは政治主導の根幹である。それによって、硬直化した縦割構造の打破が期待できるが、反面、政治主導による人事は、政策の安定性を損ない、政治による利益誘導や猟官制のリスクもある。それゆえ、適正な人事が行われるかどうか、幹部職への選任過程の透明度を高めて、しっかりと監視していかなければならない。これは、第4章で述べた行政責任、行政統制の課題である。

第3節　予算と財務管理

●財政の仕組み

　行政の諸活動が、国民が納めた税を原資とする予算によって行われていることはいうまでもない。近年では、税だけではなく、将来の償還を前提とし

た公債も主要な財源とされており、その増加が深刻な課題となっていることは周知のところである。

　税制のあり方をはじめ、財政の制度や経済との関係等については、行政学と密接な関連がある財政学の対象である。そこで、ここでは、国の行政活動の資源としての予算のあり方、およびそれが抱える問題等、行政学を学ぶ上で必要なかぎりの内容に触れるに留め、他は財政学の教科書に譲ることにしたい。

　ほぼすべての行政活動は何らかの財源を必要とする。行政活動の場合、その財源のほとんどは、国民から徴収した税か、将来の税で返済する公債である。税は、国民に納税義務を課し、強制的に徴収するものであることから、租税法定主義の下、その対象、方法等については、厳格に法律で定められている。

●予算と財政民主主義

　そのような法律による規定は、税を原資として行う行政活動についても存在しており、行政活動における経費の使途はもちろん、支出方法等についても、一種の規範形式である予算によって定められている。このような予算は、国会が支出を認める額と歳入の予定額を表したもので、両者の総額は当然一致している。

　税の使い道を定めた予算は、財政民主主義の原則の下、国会での議決を要する。すなわち、このような厳格な手続を経て毎年編成される予算の執行は、その目的、限度、手続等が議会で承認された枠内に限定されている。要するに、一年間の行政活動のすべてについて、その支出内容を詳細に定めたものが予算ということができる。

　こうした予算の基本的な考え方は、行政活動を行うに当たって、最も効率的に使用したときの必要額であり、行政機関が与えられた目的を達成するために効率的に活動を行うならば、当然に使い切ることが予定されている。それを流用することは定められた場合を除いて認められておらず、年度末に不足した場合には、活動の効率が悪いと評価されることになる。

他方、実際には、想定以上に効率的に使用して残額が発生したような場合には、予定された活動が完全に行われなかったと評価され、次年度の配分が減額されることになりかねない。したがって、予算は使い切らなければならず、そのため、しばしば年度末に必ずしも必要ではない支出が行われ、無駄遣いとして批判を浴びることになるのである。

しかし、行政機関にとっては、予算は活動の重要な資源であって、その獲得額によって活動量が決まり、それが多いほど社会において多くの役割を果たしていると評価される。それゆえ、予算要求の段階では、できるだけ多くの予算を獲得すべく大きなエネルギーが投入されるのである。

こうした予算は毎年編成されるが、そのサイクルは、3年を単位としており、初年度は次年度の行政活動のための予算を編成する年である。2年目が、その予算を執行し、実際に行政活動を行う年になる。

予算は、あくまでも一定の前提に基づいた支出計画であるので、社会環境の予期せぬ変化から、想定外の支出等が生じることもありうる。それらを含め、どのように予算が支出されたかを明確にするために、3年目に決算が行われる。それによって、予算のサイクルは一巡する。さらに、それに基づいて、適正に予算が支出されたか否かを確認するための会計検査が行われる。

● 予算の編成と執行

予算は、行政組織にとっては、その活動の基本的な資源の一つであり、毎年度、財務省の主計局が中心となって政府予算案を作成する。各府省の担当部局は、前年度の春から、次年度の活動について計画を立て、必要な経費の見積もりを行う。それは、各局の総務課、次いで各府省官房の会計課といった予算担当課で集約され、そこで府省としての概算要求が作成され、8月末に財務省主計局に提出される。

近年では、財政難のため、概算要求の前の時点で、前年度に対する要求比率の上限が設定されており、各府省の会計課は、担当部局からの要求を査定して、その範囲内に概算要求の総額を収める。

行政活動を担当する部局では、とくに重要と考える事業については、府省

内や財務省主計局に対して働きかけるとともに、与党の関係議員にも説明し支持を得ることによって、予算を獲得しようとする。与党の了承が得られれば、その後政府案の決定や国会審議において予算が付けられる可能性が高まるのである。

　財務省主計局では、秋から年末にかけて、各府省から提出された概算要求を査定し、年末に政府予算案として、それを各府省に内示する。もちろん、政府予算案の査定過程で、財務省主計局は、各府省から要求理由の説明を受け、その必要性について審査する。充分に説得力のある要求しか認められないので、この過程は、財務省主計局と各府省の攻防の場である。

　政府予算が内示されると、それに不満のある府省は、とくに重要と考える事項について復活折衝を行い、最終的には、その府省の大臣と財務大臣との協議によって決定する。そして、最終案を確定し、閣議決定によって政府予算となり、国会へ送られ、国会での審議・採決を経て正式に翌年度の予算が成立することになる。

　この過程では、いうまでもなく査定権をもつ財務省主計局が大きな影響力をもっており、予算の編成作業を通して、限られた財源の配分による府省間の活動の調整を行っているということができるが、実質的に財務省主計局が査定の対象とするのは、各府省のすべての活動ではなく、主として新規の活動に対する要求であり、既存の活動については減額されることはあるものの要求が認められる可能性が高い。そのため、財政難によって、新規の政策に向ける財源が乏しくなった近年では、上限の枠の下で各府省への配分枠は次第に硬直化し、府省間の壁を越えて財源の重点配分を行うような政策間の調整は困難になったといわれている。

　しかし、社会は変化しており、新たに取り組むべき課題も発生する。そこで、近年では、通常の予算は一律削減するとともに、他方で、とくに重点事項、たとえば技術開発の促進や地域振興等の重点政策に関しては、財源に一定の枠を設け、それを特別枠として予算を組むといったことが行われている。

　各府省の担当部局では、通常予算での増額は期待できないため、このような特別枠に殺到することになる。この枠が合理的に配分されるならば、予算

と行政活動の硬直化を緩和する有力な方法といえよう。

第4節　財政の現状と課題

●厳しい財政状況

　ここで、近年のわが国の財政状況についてみておこう。**図表9-1**は、2021年度の国の一般会計予算（当初）を示したものである。総額約106.6兆円のうち、歳入予算の40.9％が公債金、それに対して税収は約57.5兆円。総額の約54％にすぎない。すなわち、必要な事業を行う上で、約4割を借金に依存している。

　歳出の方では、国債の償還に当てる国債費が22.3％を占めており、国債の発行額より少ないため、債務は累積して増加している。残りのうち地方自治体間の財政調整に用いられる地方交付税交付金等が15.0％で約15.9兆円。残りが、国民の福祉その他の政策の実現に使われる政策経費であり、全体の

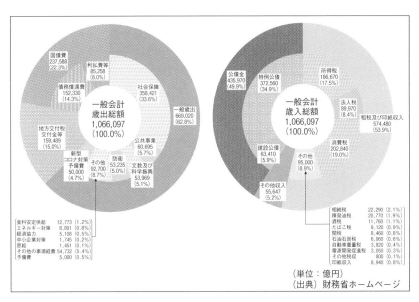

図表9-1　2021年度の国の一般会計予算（当初）

62.8％で約66.9兆円である。そのうち、社会保障関連の支出が占める割合が33.6％で約35.8兆円と、政策経費のうち、実に半分以上が年金、医療、介護等その他福祉という社会保障に支出されている。問題は、その額が毎年増加

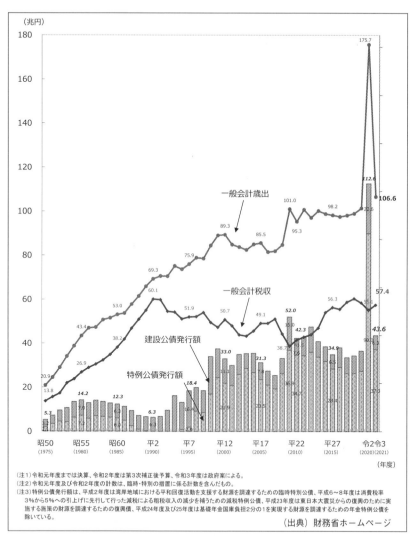

図表9－2　一般会計における歳出・歳入の状況

していることである。

　図表9－2は、1975年以降の財政収支を折れ線で表したグラフである。ワニの口といわれるごとく、1991年以降、小刻みの上下はあるものの、収入が停滞しているのに対し、支出は増加し続けている。差額を国債で埋めているため、棒グラフからも明らかなように、国債の残高は増加している。

　とくに、2020年は、新型コロナウイルス感染症の対策費にあてるために、前例がない巨額の国債を発行した。3次まで予算の補正が行われ、総額176兆円の予算が組まれた。その歳入のうち112.6兆円、64％が公債発行によるものである。非常事態におけるやむをえない措置とはいえ、公債の発行残高は激増した。緩やかに拡大してきたワニの口は、2020年で上に折れ曲がってしまったということができる。

　コロナ禍が収束するまで、このような臨時の歳出は続くが、今後の償還は将来における大きな負担である。

●社会保障負担と財政の持続可能性

　図表9－3は、社会保障関係の年金、医療、介護その他福祉の経費の1950年からの変化を表したものである。1961年に医療における国民皆保険と国民皆年金がスタートした。当初は、高齢化も進んでいなかったことから、総額も少なかったが、その後は高齢化とともに増加した。その増加率は、GDPの伸び率を上回っており、これが大きな財政の負担になっている。

　2021年時点では、社会保障支出の総額がほほ130兆円。そのうち、45％を占める年金が約60兆円、30％を占める医療費が約40兆円、そして残りの25％が福祉その他の経費であり、そのうちの約半分が介護である。この社会保障費の総額は、グラフからも明らかなように、毎年増加しており、現在では、国内総生産の4分の1に達している。年金、医療、介護を含む福祉その他のすべての分野で増加しているが、中でも介護の伸びが大きい。

　高齢化が今後も進むため、このまま社会保障支出の増額を続けることは困難であり、社会保障制度および財政を持続可能なものにするためには、財政改革、とりわけ社会保障費の抑制が不可避である。だが、現状において、年

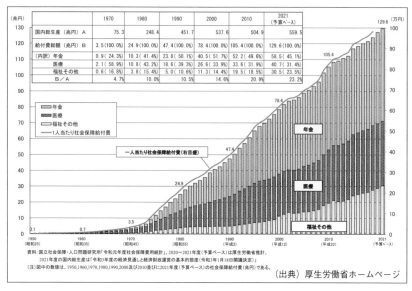

図表9－3　社会保障給付費の推移

金、医療、介護の支出を抑制することは容易ではない。しかし、第15章で述べるように、ますます高齢化が進む一方で、生産年齢人口は減少し、保険料収入および税収の引上げも期待しがたい。

とくに、2020年のコロナ禍によって、医療費が激増した。にもかかわらず、医療の提供が充分に行われたとはいえず、これまでの医療提供体制の課題が浮き彫りになった。このような予期せぬ感染症への対策も含めて、医療制度も見直さなくてはならない。

現在は、不足する財源を多額の国債を発行して、すなわち後の世代から多額の借金をして財源を調達しているが、それには当然限界がある。1990年代の行政改革を上回るような大胆な行政制度全般の改革が必要である。

改革の方向としては、財源の拡充に限界がある以上、歳出の削減に努めるとともに、限られた財源を可能な限り効率的に用いる工夫が必要だろう。それには、次章でも触れるように、ITの活用を推進すべきである。さらに、実質的な負担の公平を図るために、マイナンバー制度等を活用して、負担能

力に応じて傾斜を付けた保険料等の負担の仕組みの導入も検討すべきである。

第10章 行政と情報技術（IT）

第1節　行政における業務

　近年の情報技術(Information Technology=IT)の進歩は著しい。インターネットやSNSが社会のあり方を大きく変えたことは、すでに第4章で述べた通りである。民間企業に加えて、行政の分野にもITの導入が進んでおり、それによって、行政サービスの質の向上と効率化を図ろうとする動きが、世界的に広くみられる。他方、個人情報保護の問題等、慎重に対応しなければならない課題もある。

　2020年にコロナ感染症の蔓延に際して、ITを活用した感染者の追跡、ワクチンの予約、病床等の医療資源の管理システム等が開発されたが、わが国は、デジタル先進諸国を自認していたにもかかわらず、他の先進諸国と比べて充分に活用されなかった。このような感染症への対応においては、ITは非常に強力なツールとなりうる一方で、国民の行動を把握するため、個人情報保護の観点から新たな問題を提議した。

　この章では、行政分野におけるIT化とはどのようなものか、それがもたらす可能性と課題について述べることにしたい。

●情報処理としての行政

　第7章で論じたように、行政の業務の大半は、さまざまな意味における情報処理であるといってよい。そして、実際には、その多くは、法人を含む国民個人に関する権利の付与や義務の賦課、補助金その他の給付の決定に関わるものであるといえよう。たとえば、福祉分野での給付金、レストランの営業に必要な営業許可等の許認可であるとか、産業振興のための補助金の交付

等である。

　こうした業務は、個別の申請に応じて、法令で定められている給付資格や許認可要件に該当するか、求められている基準を満たしているか否かを判断し、許認可を認めたり、受給資格を認定する行為である。その場合、手続としては、申請者は、法令で定める要件を満たしていること、すなわち資格基準や許認可の要件を満たしていることの証明書を添えて、行政機関の窓口へ申請する。その証明書は、他の行政機関等が保有する情報に基づいて発行される、その申請者の状態や資格、経歴等を示すものである。

●行政手続の現状

　現在、たとえば市町村の窓口で福祉等に関する給付を受けようとするならば、申請者は、その窓口に申請書を提出する前に、他の窓口で、その地方自治体の住民であることを証明する住民票の写しや前年の所得の証明等を取得する。さらに、医療や介護サービスを受けているなど一定の要件を満たしていることの証明書を他の行政機関等で発行してもらい、さらに一定の期間受給していることが必要な場合などは、民間も含めた団体から受給期間を証明する書類を入手し、それらを添付して、申請することになる。

　申請書を提出された行政機関の窓口では、申請書の記入等に不備がないことを確認して正式に受理をする。そして、申請書の内容と添付された証明書類を確認・照合し、要件を満たしているか否かを判断して、給付の可否および給付額を決定する。それを正式な通知書に印刷して公印を押して、申請者に手交ないし送付する。そして、その後で給付金が渡される。

　個々の申請者が受ける給付や許認可の内容によっては、もっと多くの書類や情報の提出が必要とされることも少なくない。このような申請や決定行為は、日常的に多数行われており、それが行政活動の多くの部分を占めている。

●現行行政手続の課題

　こうした手続に要する金銭的、時間的コストは大きく、それが官僚制に対するイメージを形成し、批判の対象となっていることは、第6章の冒頭で述

べた通りである。

　このように、申請者側と受理した行政機関の側、とくに行政機関の側において多大なコストがかかるのは、判断・評価にミスがないように、また書類が真正であるかどうかの確認など、悪用や誤解がないように多重のチェックが必要であることによるが、それでも人間の行う作業である以上、ミスの可能性は払拭できない。

　適正な行政サービスを提供していこうとするならば、このような確認作業が必要であるが、国民各自のさまざまな事情を考慮してよりきめ細かく対応していこうとすればするほど、制度は複雑になり、それはさらにミスの可能性を高める。そして、それを防止しようとすれば、ますます確認等のコストが増加する。

　それでも人間の手による作業である以上、各事案について処理できる情報量が限られていることから、ニーズに応じたきめの細かい対応には限界がある。そのため、国民が置かれている状態や属性、ニーズの内容に関しては、いくつかの粗いカテゴリーに類型化し、その類型ごとに一律の対応をせざるをえないのが実態である。

　それゆえ、申請者の個別事情にきめ細かく応えることは難しく、さらに申請者の他の属性や固有の事情などを汲み取って結びつけ、総合的に評価・判断することはできない。それらの事情を考慮すれば、より望ましい対応が考えられるような場合でも、手続や決定過程が複雑になりすぎるために、考慮することができないのである。

　たとえば、医療費や奨学金の給付額を決めるときに、収入や資産その他の個別事情等を勘案することができれば、それに応じて累進的な自己負担率や給付額の決定が可能であり、その方が公正といえる。だが、現状では、特定の国民の収入情報等と申請内容とを結びつけて細かく給付額を決定することは、非常に困難であるか、それを手作業で行うことは多大なコストがかかる。

　そうした判断は、これまで優れた行政官の裁量的判断に委ねられてきたが、裁量による的確で公正な判断を行うには、高度の専門能力を必要とすることはもとより、第13章で述べるように、公正さや平等性を欠くリスクも存在

している。

　行政活動の多くは、こうした定型的な判断のルーティンワークであり、現在では、それを適正に行うために巨額のコストを支払っているのである。窓口で毎日大量に行われている本人確認の作業、すなわち申請書を提出した人物が真の申請者であるかどうかの確認にしても、その方法によっては、他人へのなりすまし等の悪用や確認ミスの可能性は払拭できない。偽の証明書による補助金等の不正取得の原因を取り除くことは容易ではないのである。

第2節　情報技術（IT）の活用

● ITの特徴

　今日のITを活用すれば、多くの場合に、こうした作業を的確、正確、迅速、大量に行うことができ、それによって、業務を著しく効率化することができる。

　かつては法人を含む個人に関する情報は、紙に記録され、名前を付したファイルに保存されていたが、今日では、その多くが電磁的に記録されデータベースとして保存されている。申請者が窓口で証明書を求めると、行政機関の担当者が、それに関する情報が保存されているデータベースから、申請者に関する情報を取り出し、それをプリントアウトして手渡すのである。

　そうした情報を、各種の業務を行う行政機関ごとに保存しているのが、現状である。それゆえに、行政機関内部では、紙による処理の手間は削減されたものの、窓口のカウンターにおける人間の作業とそこでの確認のミスや悪用の可能性は取り除かれていない。

　他方、申請者自身が払わなくてはならないコストは、従来とそれほど変わらない。コンビニ等における証明書の機械交付にしても、証明書を受け取るための移動のコストは減るにせよ、証明書を取得し提出する行為の負担を減らすものではない。

●情報連携の必要性

したがって、IT 活用の最も大きな利点と考えられるのは、何よりもネットワークを利用して、複数のデータベースに保存されている特定個人の情報を結合し、多様な大量情報の照合確認が可能になることである。さらにいえば、そうしたネットワークを通じたデータベースの連携によって、近年開発が進んでいる AI 等を使うことによって評価・判断を相当程度自動化できることである。

そうしたシステムはまだ充分に稼働していないが、それが実現すると、証明書の発行・取得、照合・確認といった人が行う作業の大半がそもそも不要になり、それらの作業に伴うミスがなくなるだけではなく、それまでと比べて格段に正確、迅速、大量に事務の処理ができ、窓口での作業時間の制約もなくすことができる。

すなわち、これまでそれぞれの行政機関が発行した証明書によって行っていた申請者の情報の照合を、人の手を介さずに機械的に行うこと、具体的には、後述する個人に付された固有の番号を介して、必要な複数のデータベースに置かれているその者の情報を結びつけ、それを照合することが可能になるのである。

自宅等のパソコンなどからアクセスする際に、申請者が本人であることを ID カード等を用いて認証し、真に必要とされる情報を上述のような方法で結合し照合すれば、AI 等を使って要件充足の可否を自動的に判断することができる。明らかに、給付や許認可の申請のためのコストが、申請者の側においても、また行政機関の側においても削減できるといえよう。

そうした手続を、行政機関が国民一人ひとりに割り当てたポータルサイトからできるようにすれば、自宅から随時申請を行うことも可能になる。さらに、一定の条件に該当する国民に対しては、行政機関の側で対象者を見出し、行政機関の側から給付等の通知を行うこともできよう。

これは、申請を前提とした受動的対応ではなく、行政機関から該当者に積極的に通知を行う「プッシュ型」と呼ばれるサービスの形態であるが、その場合には、本人が拒否をしないかぎり、国民の側からの申請は不要であり、

受給資格のあることを知らなかったために、給付を受けられないといったケースはなくなる。

もちろん、行政官の裁量的判断が必要とされる場合もあり、そのような場合には、システムが総合的に評価した情報を行政官に提示し、それを基にして行政官が専門的見地から判断することになる。その場合、事務的な証明書の発行と、その真正性の視認による確認が不要になることはいうまでもない。

● 行政サービスの高度化

さらにいえば、AI の技術を用いることによって、専門的な高度の判断を機械に行わせることも可能になるだろう。

こうした国民各自の事情に応じた、個別化されたサービス提供の仕組みは、その結果やニーズの状態を多数のケースについてビッグデータとして蓄積し、それを解析することにより、国民の置かれている状態やニーズの内容をマクロ的に詳細に把握することに利用でき、それは次期の政策を考える際の貴重な資料となりうる。

そうした情報の蓄積が、AI 技術の高度化と相まって、公正、正確、迅速で効率的な行政サービスの提供を実現すると考えられる。さらに得られたデータを活用することによって、これまでの方法では知ることのできなかった社会の傾向や課題の解決方法の発見も期待できる。それが社会にとってよりよい政策を生み出す可能性を忘れてはならない。

たとえば、詳細な地理情報や自然環境の観測データ、感染症の広がりなど、これまでは容易に知ることのできなかった情報を収集し解析できることになった結果、それらの情報を結びつけることによって、社会的課題を解決するためにより望ましい政策の立案が可能になるであろう。

また、そのようなデータを社会に開放し、いわゆるオープンデータ化を進めることによって、広く民間での利用を促し、政策の開発や新たな利用方法を考案することが、国民生活の利便性を高めることに結びつくであろう。

これまでは、限られたデータと経験と勘によって作成していた政策を、客観的なエビデンスに基づいてより精緻に立案することができるようになるの

である。例を挙げれば、災害時の被害予想と合理的な住民避難の方法、救済対象の優先順位付け、さらには効率的で精度の高い安全対策なども可能になるといえよう。

　行政分野におけるITの活用には、このようなものが考えられる。これまで行政機関と国民の双方で人的作業に要したコストに比して、著しく少ないコストで非常に大きな効果をあげることができるのであり、多くの国でこうした方向での行政の効率化と質の向上を図る改革が進められている。

第3節　マイナンバー制度

●国民番号制度の必要性

　ところで、このような行政におけるITの活用を進め、そのメリットを享受するためには、前提として、国民一人ひとりに固有の番号を付す国民番号制度の導入が必要である。わが国でも2016年より、マイナンバー制度の運用が開始されたが、現状では、上述したようなIT化のメリットを発揮させるには、その利用に対する制限が多い。

　これまでもわが国には、基礎年金番号や健康保険番号、介護保険番号、そして納税にかかる番号等、国民に番号を付す制度は存在しており、一定の範囲内で活用されてきた。しかし、それらはここでいう国民番号制度とは異なり、限定された機能しか有していない。

　ここでいうマイナンバー制度を含む国民番号制度とは、国民全員に番号を付すこと（悉皆性）、一人一つの番号であって、同一番号は複数存在しないこと（唯一無二性）、そして原則として、一生涯同一の番号であること（終身性）という条件が満たされた番号制度のことである。

　わが国の既存の番号制度は、いずれもこれらの条件を満たしていない。唯一の例外は、住民基本台帳に基づく住民票コードであるが、これは利用範囲が限定されており、行政活動のみならず社会のさまざまな領域における効率化やサービスの質の向上に役立てることはできない。

　国民番号制度は、各自に固有の番号を付し、それを介してさまざまなデー

タベースに蓄積されているその人物の情報を結びつけ、前述したようにきめ細かなサービスの提供や資格等の確認に用いることができる。

たとえば、児童手当や介護給付の資格認定や保育所への入所許可等の決定について、現在は、申請者が収入証明その他の資格要件に関する情報を提出しなければならないが、番号制度が完全に導入され活用されるならば、申請書に記入された番号によって必要な情報が参照され、客観的な基準に従って、半ば自動的に可否や給付額が決定され通知されるようになるであろう。

多くの国では、国民番号をさまざまなデータベースで個人を識別するために用い、同一の番号の情報を結びつけることによって、情報の連携を行っているが、わが国のマイナンバーの場合は、個人情報保護のために、直接マイナンバーで複数のデータベースを連携するのではなく、変換のための符号を介して連携する仕組みを採用している。

いずれにせよ、このような国民番号を介して各種のデータベースを連携することにより、とくに高齢化が進む時代にあって、医療、介護、年金、保険等のデータを結びつけることによって、複雑な社会保障の制度を公正・平等に、迅速に、効率的に、漏れなく、しかもきめ細かく運用することが可能になるといえよう。

●本人確認と ID カード

国民番号制度は、特定の国民個人を識別し、その人物に関する情報を連携する仕組みであって、行政機関の内部でのみ使用する制度とすることも考えられるが、国民の利便性を高め、行政活動の質の向上と効率化を図るためには、視認できるものとし、国民と行政機関との接点において、申請した人物や給付等の対象となっている人物が、本当にその本人なのかどうかを確認する制度とすることが望ましい（図表 10 − 1）。

これが本人確認であり、現在は、運転免許証や保険証、その他の身分証明書等で、本人であることの確認を行っているが、これらの証明書は全国民がもっているとは限らず、したがって、なりすまし等の不正利用を防ぐことはできない。

確実に本人であることを確認するためには、本人の顔写真はもとより、その他本人でなければ知りえない情報と組み合わせて、確認をする必要がある。指紋や虹彩などを用いた生体認証や顔認証の方法もあるが、マイナンバー制度の開始に当たって、わが国で導入されたのが、ID カード（マイナンバーカード）である。

　このカードを、行政機関のみならず、民間でも本人確認の手段として活用することにより、社会生活を便利で信頼のおけるものにすることができる。たとえば、引っ越し後の健康保険、雇用保険や年金等の住所変更はワンストップサービスでできるようになるだろう。また、年度末の面倒な税の申告も、所得情報や控除のための医療費等の情報の名寄せによって、手間をかけることなく、しかも漏れなく行うことができるようになるといえよう。

　さらに、ID カードのもつ公的個人認証機能は、インターネットを介した申請や契約等において、本人確認に必要な電子署名を行う機能であり、本人の意思が真正であることを確認する機能である。従来は、印鑑の押捺やサインによって行われていた行為と同等の機能を果たすものである。

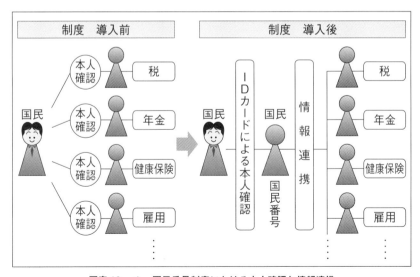

図表 10 - 1　国民番号制度における本人確認と情報連携

こうした機能は、インターネット上のサイトを使っての申請や契約、自己に関する行政情報へのアクセス等において、大いに利便性を拡大するものと思われる。

　さて、少々国民番号およびIDカードの詳細に立ち入ってしまったが、ここで強調しておきたいのは次のことである。すなわち、これまで人類社会では、長い間、行政のみならず社会における諸活動において、紙を唯一ともいえる情報媒体として用いてきた。紙の上に文字を書いて情報を生産し、それを複写して伝達、共有し、さらにそれを保存することによって記録を残してきた。そして、その紙に書かれた情報が真正であることを証明するために、印章やサインを用いてきた。

　しかし、紙という情報媒体は、その物理的性質から複雑な業務で用いるには種々の制約があり、偽造等悪用の可能性も少なくない。そうした制約のため、また悪用を避けるために、それを扱う仕組みはますます複雑でコストのかかるものになってきた。しかも、紙の上に情報を記録し、紙に示された情報を評価判断し処理するのは、あくまでも人間である。

　そうした世界に、紙という媒体の制約を克服し、人間という、場合によっては不安定で能力に限界のある存在に替えて、正確、迅速、大量かつ効率的に漏れなく情報を処理できる技術が利用可能になったのである。もちろん人間との役割分担がなくなることはないであろうが、ITを活用することによって今までできなかったことが可能になり、それが行政はもとより社会の質を高めることはまちがいないといえよう。

第4節　情報技術（IT）活用の可能性とリスク

●活用の可能性──海外の事例

　行政の分野のみならず、社会においてITの活用はどのような可能性をもっているのであろうか。この章の終わりに、この点について触れておきたい。

　ITの活用によって種々のサービスの改善を図っている国は多数あるが、その一つであるヨーロッパのバルト三国の一番北に位置するエストニアの試

みを簡単に紹介しておこう。

同国では、国民全員がもつ国民番号によって、さまざまな社会的サービスが結びつけられている。「X-Road」と呼ばれるネットワークを介して、国民としての行政情報はもちろん、銀行の口座、税、電気等のエネルギーの料金、電話やインターネットなどの通信料金、運転免許証、自動車登録、そして健康保険や医療機関の電子カルテ等のデータベースがつながっている。

たとえば、複数の医療機関に受診している場合、医師は他の診療科でのカルテをみて検査結果や治療方法についての情報を共有することができるし、薬を処方された場合には、国内のどの調剤薬局でもその薬を受け取ることができる。もちろんそれらは、その情報を扱う資格のある者だけがアクセスできる仕組みになっている。

国民は、全員IDカードか、あるいは携帯電話のSIMカードに格納された同様の機能を使って、政府、民間を問わず、本人確認の手段として用い、さまざまなサービスを受けることができる。

むろん手厚く個人情報も保護されている。個人に関する情報は本人以外のアクセス権が法律によって制限されており、国民は一人ひとりに割り当てられたポータルサイトから、自分の情報に誰がアクセスしたか、いつでも確認することができる。そして不審なアクセスに対しては、アクセスした者にその内容と理由を問い糾すことができ、たとえアクセス権を有する者であっても違法なアクセスに対しては重い刑事罰が課されるという。

そうした方法によって個人情報を保護しているわけだが、さらにこうしたIT化を支えているのが、国家において、国民の権利を守るためには、政府が個々の国民についてどのような情報を収集し保有しているか、を国民が知りうることが大切であり、それには、このようなITの仕組みがベストであって、それが民主主義国家において国民が政府の権力を監視する最善の方法である、という理念である。

● **国民番号制度の不幸な歴史**

このように、先進諸国では、ITの導入による行政活動の効率化とともに、

これまでできなかった精度の高いサービスを国民に提供できる可能性を追求して、IT 化を積極的に推進しようとしている。

とくに、これから社会保障費の増大が予想されるいずれの国でも、対象となる高齢者一人ひとりが必要とするニーズにきめ細かく対応しながら、しかも全体として効率的で持続可能なサービスの提供を行うためには、IT を活用するのがベストであると考えられており、積極的な推進が図られているのである。

すでに述べたように、このような IT 化を進めていくためには、国民番号制度の導入が前提となる。しかるに、わが国の場合、かなり以前から同様の番号制度の導入が試みられているにもかかわらず、その意義と必要性が国民に理解されず、むしろ戦前の時代のように、政府が国民生活を監視し国民を管理する手段であるという理解から、また個人情報の漏洩等への懸念から反対が強く、ようやく制度化された住民票コードにしても、利用できる範囲が厳しく制限されていたため、番号制度の利点を活かすことができなかった。

民間も含め利用の範囲をより広げたマイナンバー制度が 2016 年からスタートしたが、高齢化がますます進むこれからの時代に、厳しい財政状況の下で、国民各自の置かれた状況に応じて、効率的で質の高い行政サービスを提供するための基盤となる制度として、国民番号制度に基づく IT 活用が進むことを期待したい。

● 個人情報保護

わが国では、個人情報の漏洩や悪用の懸念から、国民番号制度や IT 化に対して国民が消極的であり、それが IT を活用した行政サービスの質の向上の障害となってきた。そこで最後に、個人情報保護のあり方について触れておくことにしたい。

国民各自に対してそのニーズに応じたきめの細かいサービスの提供が可能になるという、行政における IT 化の効果とその前提としての国民番号制度の必要性については上述した通りであるが、それが効果を発揮し、行政活動を含む社会における諸活動の効率性を高めるためには、国民各自が置かれて

いる状況や属性等について詳細な情報を、行政機関等が収集し利用できることが前提である。

　だが、そのような情報はまさに個人情報であって、個人として知られたくない情報、まして政府が保有することを好まない情報が含まれている可能性がある。それゆえに、そうした個人情報が収集され利用されることについて制限を設けることは当然であるが、問題は、個人情報の収集・利用を過度に制限することは、すなわち個人の個別の事情に応じたサービスの提供を困難にするということである。

　したがって、ITの活用によって、その危険が増加した、不当な差別やプライバシーの公開に結びつくような個人情報の民間利用等は厳しく制限されるべきであるが、行政のみならず社会的な利便性の向上や新たなサービスの開発に結びつくような活用に関しては、むしろ推進されるべきである。

　技術面のセキュリティの強化はいうまでもないが、情報の利活用と個人情報保護をどのように調和させるかは、重要な課題である。個人情報の保護を確実にしつつ、できるかぎり利活用を図ること、それがこれからの社会においては必要である。

●社会におけるIT活用の可能性とリスク

　現在、ITは進歩し、社会での活用は急速に進んでいる。とくに、スマートフォンの普及によって、SNS（ソーシャル・ネットワーキング・サービス）等の利用が拡大し、私たちの生活の利便性が向上するとともに、社会における人々の行動様式も変化した。

　それが顕著に表れたのが、コロナ禍の下におけるテレワーク、オンライン診療、オンライン授業等である。人の移動が制限された感染拡大期に、もしインターネット等が利用できなかったとしたら、おそらく多くの社会機能は麻痺し、国民生活は大変な混乱に陥っていただろう。

　このようなネットワークの利便性は、現在では国境を越えて拡大し、GAFAMと呼ばれる巨大なプラットフォーマーにアカウントを作ることで、世界中の情報にアクセスでき、知人との通信はもちろん、情報共有も可能で

ある。そしてウェブサイトから商品を選んで注文すれば、一両日で自宅にその商品が届く。

国内のどこに住んでいても享受できるこの便利さは、私たちの生活の質を大きく高めるが、反面、私たちが登録した個人情報は誰が保有し、どのように使われているのか明らかではない。海外のフラットフォーマーが不当な管理をしていても、わが国の政府は規制を行うことができないのである。

すでに第2章で触れたように、無名の一市民が利用できることになったSNS等の情報発信のツールは、政府批判や政治的リーダーの権力の濫用を抑止するために有効な手段として、非常に大きな力をもつ。これは、これまでのマスメディアが果たしていた機能に匹敵する政府監視の力を弱い一般市民が手に入れたことにほかならない。

だが、このツールが、政府にではなく、横にいる同じ市民に向けられ、「炎上」という形で社会的な批判の声となったとき、それは人権を侵害する恐ろしい凶器となりかねない。また、フェイクニュースという虚偽の情報を流すことによって、社会の混乱を引き起こす危険も現実化した。

このような情報発信ツールの利用に対しては、政府による規制を求める声が強いが、政府による規制は、それ自体が国民の表現の自由に対する制約になりかねない。利便性を享受しつつ、いかにこの政府を監視し民主主義を守るための「武器」を、他の国民のための「凶器」とならないように社会的に管理するか。それが、現在、われわれが取り組まなければならない課題といえよう。

IT化は、このように社会を大きく変えるが、この章では、行政分野におけるIT活用の可能性とメリットに焦点を当てて、やや詳しく述べた。これからの行政においてIT化は、大きなトピックとなると考えたからである。

ただし、IT化を推進し、その利点を活かすには、何よりも行政組織における業務のあり方を改善することが重要である。現行の業務を情報処理の流れとして理解し、BPR（Business Process Re-engineering＝業務過程の再構築）をまず図るべきであろう。そうした業務の改革なしには、国民に対するサービスの向上、効率化はありえないといえよう。

第11章 行政活動と政策

第1節　行政活動のプログラムとしての政策

　これまで行政の要素の一つである「組織」について述べてきたが、この章からは、行政機関の国民への働きかけである行政の「活動」について考察する。

　行政活動は、一言でいえば、行政機関が、私たちの暮らす社会に向けて行う働きかけである。それには、気象情報の提供から、河川や道路等の国土の管理、災害の予防、社会福祉や教育サービスの提供、産業育成、公衆衛生、環境保護、科学技術イノベーションの推進等々、実に多様なものがある。

　したがって、その機能やメカニズムの全般について説明しうるような一般的な枠組みを提示することは容易ではないが、ここでは、「システム」という考え方を用いて、行政活動を、多様な要素から成り立っている社会が安全・健全に運営されるように、適切に管理する活動、すなわち「社会システムを制御する活動」と考えることにしたい。

●社会システム

　私たちが暮らす社会は、個人としての国民はもちろん、企業等の団体、それらが生産し消費するモノや情報、経済活動に用いられる資金、国民や団体が活動する都市空間や自然環境等、非常に多数の要素から成り立っており、それらの要素が相互に密接に関わり合って、現実の政治や経済の動き、さらには私たちの社会生活を形成している。

　このような多くの要素が結合した社会システムは、国ないし地域を単位として一定のまとまりを形成しており、それを取り巻く環境との間でさまざま

なやりとりをしつつ存在している。環境は絶えず変化することから、社会システムは、その変化に適応することによって、安定した状態を維持し、さらに発展を続けていると考えることができる。

すなわち、私たちの住む社会は環境の変動によって攪乱されるので、社会システムが安定して発展を続けるためには、環境の変動を吸収し、変化に適応して自らの状態をつねに軌道修正していかなければならない。

● 社会システムの"制御"

他の多くのシステムがそうであるように、社会システムも、その内部に適応のメカニズムをもっている。その典型が市場メカニズムである。それは、特定の財やサービスに対する需要と供給とを調整し、資源の最も効率的な利用を実現する一種の自動制御メカニズムということができる。

また、伝統的な共同体における相互扶助も、共同体において限られた資源を分け合うことによって弱者を助け、共同体全体の存続と発展を図るという維持機能を有していることから、環境変化に対する一種の内在的適応メカニズムということができる。

このように、社会は、優れた内在的な制御メカニズムをもっており、それによってさまざまな環境変化に適応することができるが、これらのメカニズムももちろん万能ではない。急激な変化や規模の大きな変化に対しては、適応できない場合もありうる。とくに、現代社会のように、構造が高度化、複雑化したシステムにあっては、環境変化の影響も複雑であり、それに適応して、快適な市民生活や安定した社会状態を維持するためには、かなり高度なシステムの人為的制御を必要とする。現代では、そのような高度の制御の大半が、行政活動、すなわち行政機関による組織的活動として行われている。

● 医療行政の例

ここでシステムを制御することのイメージを明確にするために、第1章で紹介した医療行政を、例として示しておくことにしよう。

医療は、国民にとって欠くことのできないサービスであるが、それが概し

て高額であるとともに、用いる技術にしても、使用する医薬品等にしても高度の安全性が要求されること、さらにそのようなサービスの内容が高度に専門的であって、一般国民には品質も価格の妥当性も評価できないこと、要するに、サービスの提供者と消費者の間に情報の非対称性が存在していることから、通常の市場によって供給することにはなじまないサービスである。

そこで、このような医療の提供に関しては、政府が、一定の規制を設けるとともに、医療保険制度を創設し、医療が必要になった人が合理的な価格で医療サービスを受けることができるように、公定価格制度を設けることによって必要な人に必要な医療を提供できる体制を形成している。

いいかえれば、医療サービスの市場というシステムが健全に機能するように、そのシステムにインプットされる要素、すなわち医師等の専門職や医薬品等の質を制御するとともに、保険制度の下でサービスの価格設定を制御することによって、アウトプットとしての医療サービスの質と供給量を制御し、国民の健康を維持しようとしているのである。

こうした医療提供のシステムは、国民の健康を守り、病気やケガ等を治療しなければならないという社会的な課題を解決するために作られた。その方法として、リスクを分散して貧富の差に関わりなく医療を受けられるように、すべての国民で支え合う保険制度が導入された。そして、この医療保険制度によって、必要とする人が必要とする医療を受けることができるように、また保険制度が持続的に運営できるように、公定価格を調整して需要と供給の調整を行っているのである。こうした制度の運用こそが、ここでいうシステムの制御にほかならない。

多くの行政活動は、このように考えることによって、共通した枠組みで理解できると思われる（**図表11－1**）。

●政策の概念

ところで、それ自体複雑な内容をもつこのような行政活動を的確に実施し、社会システムの制御を確実に行うには、その活動内容を明確に定めたシステムの設計図というべきプログラムが必要である。

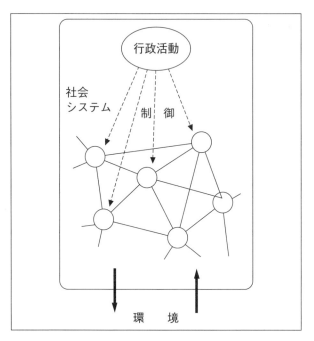

図表11－1　社会システム制御のイメージ

　たとえば、今述べた医療行政の例を用いれば、環境が変わり、高齢者の増加によって求められる医療サービスの内容と需要量が変わってきたとき、それに応じて医療の提供システムを改革し、新たなニーズに応えられるようなシステムに改変していかなくてはならない。

　さらに、新型コロナウイルス感染症のようなパンデミックが発生したときには、それに応じて医療提供体制の緊急の変更が必要になる。そのためには、平時からそのような非常時の対応に備えた制度的な準備が必要である。

　そのようなとき、関係する行政機関が、どのように医療制度の運用に関するルールを改正するか、どのように新たなニーズに応じたサービスの提供を促すか、不要となったサービスをどのようにして削減するかについて、具体的な内容を定めたプログラムを作る必要がある。

　ここでは、このような行政活動のプログラムを「政策」と呼ぶことにした

い。

　政策をこのように考えるならば、政策には、将来の行政活動について、どのような活動をいついかなる場合に行うべきか、が定められている。そして、行政活動とは、そのプログラムに従って活動を実施していく、政策の「執行活動」ということができる。また、通常、政策は、一定の手続を経て、法律等の公式の形式をもった「制度」として定められ、行政活動は、そのような持続的な制度に基づいて展開される。したがって、執行活動とは、制度の「運用」にほかならない。

　このような政策が、行政活動のどの範囲までの事項を規定しているか、またしなければならないのか、という政策の粒度についての一般的な基準は存在していない。国民経済全体のプログラムを描いた経済計画も政策であれば、特定の産業の将来像を示した産業政策も政策である。大気汚染原因の特定物質の削減をめざした、たとえば窒素酸化物（NOx）対策なども一つの政策ということができる。

　このように、政策には、行政活動が対象とする社会事象の範囲の広狭に応じてさまざまなものがあり、それらは相互に関連し合って重層的な構造を形成していると考えることができる。その場合、具体的で限定された目的をもった政策とより広い範囲をカバーする政策との関係は、一般に、目的と手段の関係にある。

● **政策の公示形式**

　前述のように、政策は一定の公示形式で定められることによって、はじめて執行可能になる。それまでは、単なる机上の共有されたアイディアにすぎない。

　そのような政策の公示形式の中心は、議会で制定される法律や条例である。しかし、同様に議会の議決を経る予算や計画も、政策の公示形式の一つである。さらに、その規定の仕方の体系性、具体性にもよるが、行政機関の行動基準や指針、ガイドラインなども、行政活動の内容を具体的に示しているならば、一種の政策の公示形式と呼ぶことができよう。

ところで、ここで想定している政策は、行政活動の全内容を含む、実際に執行可能なプログラムであるが、法律や予算は、それぞれ固有の論理に基づいて、行政活動の特定の側面だけを規定している公示形式である。法律は、行政機関の権限義務と国民の権利義務について規定し、予算は、行政活動の財政的な側面を表している。したがって、行政活動は、このような固有の論理をもった公示形式によって枠付けられ、またその枠組みに拘束されている。その枠組みの中で変化する状況に対応して的確に社会システムの制御を行うことが行政活動の役割であり、それは、法律との関係でいえば、いかに法律を解釈し、いかに行政官の裁量に委ねるかという問題になる。現代行政を理解する上で非常に重要な、この行政活動と法律との関係については、第13章で論じることにしたい。

第2節　政策の構造

政策が行政活動のプログラムであるとすると、それには主要な要素として目的、主体、対象、手段が含まれていなければならない。政策の要素としては、これら以外にも手続や行政活動の資源もあるが、実際に有効な政策であるためには、それらの要素が体系的に組み合わされて、プログラムとして完結した構造を形成していなければならない。

しかし、実際には、すべての重要な要素について確実にそれらを制御する方法を見出すことは難しく、また、絶えず変化する環境に対してつねに有効なプログラムを作成することも容易ではない。

●目的

政策には、それが達成しようとする目的が含まれていなければならない。それは、政策が解決しようとする社会的課題が解決された状態や、社会が達成すべき望ましい状態を表したものである。そのような政策目的は、可能であれば具体的な数値目標として表現されるべきであるが、数値では表現できず、曖昧で抽象的な価値としてしか表せない場合もある。いずれにせよ、目

的として示された価値や数値は、第14章で述べるように、政策の事後的な評価の基準としても用いられる。

● 主体

ここでいう主体は、文字通り、政策というプログラムに基づいて行政活動を行う主体である。それは、ほとんどの場合、行政機関における所管部局ということができるが、これからますます構造が複雑化し、多くの制御活動が必要とされる社会システムにおいて、その担い手となり、さまざまな公共サービスの供給を担う主体は、行政機関に限られず、多様化していくであろう。第4章でも触れたように、民間事業者、ボランティア、非政府機関（NGO）、非営利組織（NPO）の役割も重要になり、それら多様な主体の役割分担と相互関係を明確化することが政策形成における課題となる。

● 対象

行政活動が、社会システムの制御活動である以上、それはシステムの特定の要素に向けられる。その活動が働きかける要素である相手が、ここでいう対象である。規制行政においては、規制の対象となる行為を行う者がそれであり、行政サービスの給付においては、その受給者が対象である。

一定の社会的目的を達成するために、国民の行動を制限する規制行政にあっては、政策の対象とその政策によって利益を得る者とは異なっている。不特定の一般国民の安全や利益を守るために、危険な行為を行う者などが規制の対象となるのである。

実際の政策では、行政活動は多数の対象に向けて行われ、それらの対象に対してきめ細かい働きかけを行いながら、社会全体としての目的の達成をめざす。医療行政においては、医師等の医療従事者はもちろん、製薬メーカーや流通業者、そして患者も対象であり、それらの対象が的確に制御されて、はじめて目的が達成されるのである。

●手段

　行政活動における手段とは、対象に対する働きかけの方法であり、相手方の行動を制御する方法にほかならない。その制御の手段には、法的な権限に基づく命令・許認可から、「おしらせ」や「お願い」等の呼びかけに至るまで多様なものがあるが、大きく四つの類型に区分することができる。

　第1は、「権力的手段」であり、法的権限に基づいて対象者に一定の義務を課し、それに反した場合には、制裁を用いて強制的に制御するという、罰則によって担保された権力的な方法である。法律に規定されている手段の多くはこの類型に属し、最も強力で、確実で、伝統的な手段である。だが、対象者の権利を侵害する可能性があり、その行使には厳格な法的要件を満たす必要がある。そのため、かなりのコストがかかる。実際には、強制の可能性の示唆や罰則適用の威嚇によって義務の遵守を促すことが多い。

　第2は、「経済的誘因提供」である。人々は、多くの場合、自己の利益となるか否かという損得計算に基づいて行動を選択する。そこで、そうすれば得をし、しなければ損をするように行動環境を操作することによって、特定の行動を選択するように誘導する方法である。

　補助金の交付や利子補給、税の減免措置等、積極的に利益を付与する場合と、課税や負担など、制度が期待する行動を採らないと不利益を被る仕組みを採用する場合とがある。これは、対象者の任意の行動に基づいて制御が行われる点で、権力的手段よりはソフトな方法であり、しかも、自己の利益の最大化をめざす動機が存在しているかぎり、かなり確実な方法といえる。しかし、それに提供される利益が期待した行為を促すに充分な額でなければ効果がない。

　第3は、「情報提供」である。人は、一定の情報に基づいて置かれた状況を理解し、自分の価値観や選好に基づいて行動を選択し、決定する。そこで、期待する行動を選択するような情報を積極的に提供することによって、対象者の行動を制御する方法である。近年、行動科学等で注目されている「ナッジ」（Nudge）、すなわち人々にきっかけとなる情報を提供することにより、自発的にある行動を選択させる手法も、この類型に含まれる。

これにも、一定の行動を促す指導から、相手の理性に訴えかける説得、感性に訴える宣伝等多様なものがありうる。多数の人々の心を捉えることができれば、これは非常に効果的な方法ということができるが、人の心理への働きかけである以上、確実に効果をあげることは容易ではない。

第4は、「物理的制御」である。これは道路上の進入禁止の障害物のように、行動が行われる環境を物理的に変えることにより、対象者の行動を制御する方法であって、確実であり、かつ行政官の日常的な行為を必ずしも必要とせず、直接相手と接触することもないという利点をもっているが、この方法を利用できる場合は、非常に限られている。

第3節　政策過程

　行政活動が、時々刻々と変化する環境への適応をめざして社会システムを制御する活動であるとすると、そのような政策の決定および決定された政策の執行という活動は日常的に行われ、それは時間的な流れに沿った過程として把握することができる。すなわち、行政活動は、社会で次々と発生する課題への取組みであり、問題の発見から、解決策の模索、一定の形式による政策の決定、それに基づく執行活動という諸段階からなる過程として理解することができる。

●政策過程の循環

　ところで、このような政策過程の諸段階は、現実には、独立して存在しているのではなく、発生する課題に対して、連続的に、同時並行的に進行し、複数の段階が相互に密接に結合している。すなわち、一つの課題の解決は、次の課題を生み、あるいは関連して別の課題を発生させる。そして、その課題への取組み、つまり解決のための執行活動が新たな課題を作り出していくのである。

　それゆえ、この政策過程は、一方向への直線的な流れではなく、螺旋状に循環する連続した流れと考える方が適している。しかも、その螺旋は、先に

述べたように、具体的で限定された目的をもった政策と、より広い範囲をカバーする政策とが目的・手段の重層構造を形成しているのと同様に、重層的に存在している。

●政策過程の諸段階

このように政策過程は複雑な構造をもっていると考えることができるが、それぞれの政策過程を取り出してみると、それは、共通したいくつかの段階、すなわち、①政策課題の設定、②政策原案の作成、③政策の決定、④政策の執行という4段階から構成されていると考えることができる。

通常は、この後に、政策執行の結果についての評価の段階がある。政策評価には、このような事後的な評価だけではなく、政策がそもそも期待された効果をあげることができるか、その可能性について事前に行われるプログラム評価も含まれている。それゆえ、ここでは一つの段階として位置付けることはしない。政策評価については、第14章で改めて述べることにしたい。

①政策課題の設定——期待と現実のギャップ

社会には、解決を要する多数の問題が存在している。ここで問題というのは、私たちが社会生活をしていく上で、こうあってほしいと願う期待と、実際はこうであるという現実とのギャップが認識される場合に存在する。

もちろん、期待と現実とのギャップが認識される問題には、個人的な問題や家族の問題など純粋に私的な問題もある。しかし、個人や家族の域を超えて、社会的に取り組まなければ解決できないような性質をもった問題、すなわち公共的な問題もある。

人々が自分たちの力では解決できず、政府の責任で解決すべき問題であると考えるとき、彼らは、さまざまなルートを通して政府に対し、それを公共的な問題として解決するように要求する。

そのような要求を受け容れ、政府が解決すべき政策課題として正式に認定すると、その時点から政策過程がスタートすることになる。だが、問題が公共的であると認定する基準、すなわち政府の責任範囲を画する基準は明確ではない。

それは、国によって異なるとともに、歴史的にも変化してきた。かつては失業者や生活困窮者の救済は個人の責任の問題と考えられており、政府が介入して解決すべきことがらとは考えられていなかった。しかし、既述のように、福祉国家の理念の下では、最低限度の生活の保障は国家の責務であり、それを国民は権利として請求できるものと考えられるようになった。

　また、本来、私的な領域に属する問題ではあるが、その問題の規模の大きさや社会に与える影響の深刻さから、公共的な政策課題として取り上げられる場合もある。たとえば、金融機関の倒産の場合のように、多数の預金者の財産に損害を与え、国民経済に多大な影響を及ぼす問題に対しては、本来、民間企業の経営と預金者の自己責任の問題であるにしても、公共的性質をもった課題として、政府が政策的対応を図ることがあることは、改めていうまでもないだろう。

　また、国民が結婚するかどうか、結婚したとしても子どもをもうけるか否かは、純粋に個人の選択の問題である。しかし、少子化が急速に進み、将来の社会の存続が懸念されるとき、公共的な政策としての少子化対策が検討されることになる。

　このように、ある問題が政策課題であることを認定するための客観的な基準はない。したがって、その判断は、その時点の状況に基づいた裁量的判断であるとともに、多分に非合理的な政治的決定となりがちである。

　強い政治的影響力をもつ利益団体や業界組織が、自分たちの要求を公共的問題として受け容れるように政治的圧力をかけ、政府による補助や支援を内容とする政策を作成させる例を、私たちはしばしば目にする。現代民主制の下で、このような圧力が、行政活動の膨張をもたらす要因の一つであることは改めて指摘するまでもない。

②政策原案の作成

　ひとたびある問題が政策課題として認定されると、次の段階では、その解決を図るためのプログラム、すなわち政策の内容が検討され、原案が作成されることになる。課題を解決するために、何を具体的な目的とし、社会システムのいかなる要素にどのように働きかけ、どのような変化を生じさせるの

か。それが検討されるのである。

　医療行政の例によるならば、高齢化による医療需要の増加に対して、いかにして供給を増やすか、保険財政の負担を増やすことなく、ニーズに応えるためには、新たな供給の方法や新しいサービスの開発が必要であるが、それはどのようなものであるか、そうした新たなサービスの供給にはどのような誘因を医療機関に提示することが効果的か、等が検討される。

　こうした課題に充分な回答が得られて、はじめて課題の解決策としての原案が作成されることになる。このような具体的な政策内容の検討は、その専門分野のみならず、政策執行に必要な行政手法や法制面の可能性も含めた技術的な観点からの検討であり、可能な範囲内でいかに完全な問題解決に接近できるかが、模索されるのである。

　現時点ではまだ充分に活用されていないが、第10章で述べたITを活用し、集めたビッグデータの解析によって、最も効果的な方法の開発や政策として実施した場合のシミュレーションを行うなど、科学的な知見を用いた政策原案の作成が、今後期待されるところである。

　いずれにせよ、この段階での検討の結果、多くの選択肢が捨てられ、最終的に少数の案に絞られてくることになる。しかし、その中から最終的にどれを政策原案として選ぶかは、価値判断の問題であることが多い。それは、技術的な問題ではなく、政治的な選択の問題であり、その選択は、次の政策の決定段階において行われることになる。

③**政策の決定**

　政策原案の作成段階が技術の論理によって支配されているとするならば、上述のように、政策決定の段階は、政治の論理に基づいて展開されている。この段階での政策の決定とは、具体的には、議会における法律や条例の審議・議決、予算の審議・決定を意味しており、一定の公示形式で政策を決定することであるが、実際には、この段階と前の原案作成の段階とは連続的であって、両者の境界線を明確に引くことはできない。

　この政策決定の段階の特徴を挙げるならば、その政策をめぐる利害関係者間の調整が行われる段階であるということである。政策決定後の政策の執行

の段階は、関係する人々の利害に多様な影響を与える。たとえば、高速道路などの公共施設の建設は、近隣住民に事故や大気汚染などの悪影響を及ぼす可能性があるが、他方、自動車の利用者が受ける便益は大きい。両者の利害は大きく異なるが、そのような受益者と負担者のそれぞれの要求・主張の調整が行われるのが、この政策決定の段階である。その調整は、討論や交渉を通して、利害関係者の合意形成をめざして行われる政治過程にほかならない。

この段階で合意に到達するために、複数の原案の中から最終案が選択されることになるが、もちろんその過程で修正が加えられることもありうる。

2020年に始まったコロナ禍の下では、緊急に展開する課題に対処するために、多数の政策が決定された。課題については、感染者の発見と隔離等の処置、感染防止のための人の接触機会の削減、そのための人流の抑制等が必要とされた。

それに対する政策原案の作成段階では、感染症の専門家の見解に従った対処策が検討されたが、人流の抑制等は経済活動を制限することになるため、経済政策の観点からの方策も検討された。現実には、感染予防と経済活動を両立させることが難しく、最終的な対処策の決定は政府に委ねられたが、その間、政治的決定における科学的助言のあり方が問題として浮上した。

その間に策定された全国民への10万円の特別定額給付金の交付や全世帯を対象としたガーゼ製の布マスクの配付等については、その効果の科学的な検証が必要であろう。費用対効果の観点も含めて、厳格な政策評価を実施し、今後の政策決定への教訓を得ることが望ましい。

なお、第8章で述べた国の行政機関における法案作成の過程は、このような政策の原案作成・決定過程の一つの姿を示している。この章では、政策過程について概説してきたが、これまで行政学においては政策決定に関する研究は多い。次の第12章では、それらに基づいて合理的な政策決定のあり方と合意形成について論じ、第13章では、決定された政策の執行について述べることにしたい。

第12章 政策の決定

第1節 合理的政策決定

　政策決定の過程は、しばしば政治の論理が支配する不透明で錯綜した過程であり、そこに種々の政治的圧力が作用する可能性がある。そのような性質をもつ政策決定は、行政活動が飛躍的に拡大した行政国家の時代にあっては、政策間の矛盾や重複による多くのムダや非効率を生み出しかねない。そこで、このような政策決定に科学的方法を導入し、この過程をより合理的なものにしようとする試みが行われている。

　そこから誕生したのが、第3章で触れた政策研究ないし政策科学と称する一群の研究である。これは、経済学、統計学、工学等の手法を用いて政策決定の合理化を図ろうとする意図の下に進められた研究であり、これまでに政策決定のあり方に関していくつかの理論モデルを生み出している。

●合理的決定モデル

　ここで合理的決定モデルと呼ぶのは、共通して次のような手順をもった決定の理論モデルの総称である。すなわち、①達成をめざす一定の目的ないし追求する価値を定め、②その目的を達成するために用いることのできるあらゆる手段を選択肢として列挙し、③それぞれの選択肢を選択した場合に生じるであろうすべての結果を予測し、最後に、④目的を最もよく達成する選択肢を選ぶ、という方法である。経済学的にいえば、すべての選択肢の中から効用関数を最大化する選択肢を選択するという方法である。

　一例を挙げると、清掃工場等、その地域社会にとって必要ではあるが、環境に悪影響を及ぼしかねない施設の建設地を決定する場合、候補として考え

うるすべての土地をリストアップし、各候補地について、そこに建設した場合の費用対効果を計算し、周辺の環境に与える影響を正確に予測・評価して、最も利便性が高く環境への悪影響が少ないところを候補地として選択するという方法である。

　結果予測の方法に関して、あるいは変化する環境要素を考慮に入れる方法等に関して、このモデルにもさまざまなバリエーションがあり、より精緻で洗練されたモデルが多数作られているが、基本的な手順は共通している。

　もし、目的について合意が得られ、それぞれの手段の結果について正確な予測が可能であれば、このような手順に従って決定を行うことにより、たしかに最適の決定を行うことができるはずである。そうなれば、透明性を欠く政治的交渉過程は不要になり、資源の浪費も政策の矛盾・重複もなくなるであろう。やや誇張していえば、最善の政策が、まさに科学的方法を用いて技術的に作成できることになる。

　しかし、こうした手法による政策決定は、現実に可能なのであろうか。完璧に合理的な政策決定は無理としても、それに接近することは可能なのか。可能であったとしても、非常に限られた場合だけではないのか。そもそもあらゆる場合に、目的について社会的に合意を得ることが可能であろうか。多元的価値の存在を前提にし、その統合を図ることこそが政治の機能ではないのか。また、将来の予測を正確に行うことができるのであろうか。正確な予測を行うには、大量の情報が必要であり、その収集には多大なコストがかかるはずである。

●他の決定のモデル

　このように考えてくると、以上に述べたような合理的決定モデルは、理想ではあっても、現実に用いるには制約がある。このような認識から、その後、現実にいかに決定を行うべきかを示した有効な規範的モデルだけではなく、現実の政策決定の過程を理論化した種々の政策決定モデルが発表された。

　その一つが、実際の予算編成過程の分析を通して作成された「インクリメンタリズム（漸増主義）」である。このモデルでは、毎年の予算は、前年度ま

でに決定された部分は前提として認め、次年度新たに配分される部分についてのみ検討の対象とし、その部分について関係者間で協議・調整して決定されている、と考える。予算という膨大な要素を含む決定をゼロベースで積み上げて1年という限られた期間内に編成することは、膨大な情報の処理が必要なため困難である。そこで、新たに増額される部分だけを限られた時間内に決定し、前年度の部分に上積みするのである。行政における決定の実態を明解に説明するモデルである。

インクリメンタリズムの考え方では、そもそも何が最も合理的か、効率的かという基準を想定しない。決定過程、すなわちこの場合では、予算の獲得過程に参加する者が各自の取り分を最大化しようとして交渉し取引を行って、その結果、各自がそれぞれ妥協し譲歩して、ある時点で合意に達したとすれば、それが最も合理的な結論であり、多元的な価値の存在を前提とする民主主義社会における決定の方法として優れている、と主張する。

また、合理的決定モデルが完全な合理性を追求するのに対し、人間の能力に限界のあることを前提とし、最適な決定をめざすのではなく、「満足」できる水準の達成をめざすのが、第7章で述べたハーバート・サイモンが提示した「充足モデル」である。この考え方は、実際の人間の選択においては、多様な可能性についてすべて比較し、その中からベストな選択肢を選ぶことは労力的にも時間的にも現実的でない、人は一定の欲求水準を予め有しており、実際の決定の思考過程は、可能性のある選択肢を順にチェックしていき、最初にその欲求水準をクリアした選択肢を選択するというものである。われわれの実際の決定のあり方を的確に説明する記述的なモデルである。

その他にも、政策決定過程を、「政策課題」、それに対する「政策提言」、そして政策提言を求める「政治的機会」がそれぞれ結びつけられることなく投げ込まれる、まさに"ゴミ箱"のような場とみなし、何かのタイミングで「政策の窓」が開かれると、それらが結合して政策が形成されると考える「ゴミ箱モデル」等がある。いずれも、あるべき、あるいは現実の政策決定過程の一面を、単純化し理解しやすく表現しようとしたモデルである。

第2節　合理性の限界と現実の政策決定

●政策決定の制約条件

　以上のように、政策決定のあり方についての理論や研究は多いが、それでは、実際にどのように政策決定が行われているのか。決定が行われる現実の環境を知ることが、政策決定のあるべき姿を考える上で重要である。

　行政機関において政策その他の公的な決定を行う場合、概して次のような三つの制約条件が存在していると考えられる。

①**不確実性**　行政機関において政策を作成するとき、基本的な手順は、何が課題であるか、客観的なデータに基づいて分析し、その課題を解決するために必要とされる方策を検討し、そして、可能なかぎりデータに基づいて実現可能なベストの策を作成する、というものである。もちろん、いつでもデータや情報が充分にあれば、一義的に結論を導き出すことができるというわけではない。多くの場合、複数の案の中からの選択や決定には、価値判断を伴うといえよう。

　しかし、実際には、価値判断を行うにせよ、その前提として、明確かつ客観的に判断や選択を行う上で充分な情報やデータが入手できるとは限らない。必要な情報やデータが存在していても、それを入手するためにコストがかかる場合や、利用可能な情報に加工することが困難な場合が少なくない。

　そのような場合には、不確実な情報やデータに基づいて決定を行わざるをえない。とくに将来の行動に関する決定を行う場合には、未来の状態について予測をするのに、仮定に基づいて一定の係数を用いなければならないが、その係数の選択によって、描かれる将来像は異なる。

②**タイムリミット**　ほとんどの決定にはタイムリミットがある。つまり、一定の日時までに決定をしなければならない。もちろん特段の事情があれば延期できる場合もあるが、通常は、限られた期限までに決定を行わないと、行政活動に支障が出る。そのため、さらに時間をかけることができれば収集することができる情報に関しても、タイムリミットがあるために、不確実な状態のまま根拠として用いざるをえない。

しかし、このタイムリミットの存在は、決定者および決定に関わる者に、合意を促す要因となる。そうでなければ際限なく続きかねない議論や協議を収束させる強力な圧力となるのである。議論が対立しているときなど、審議が不充分であるといわれることがあるが、タイムリミットの存在によって、何らかの形で決着が付けられ、事態を前進させることができるといえよう。

③多様な利害関係者　行政における決定は、多方面の多数の人や組織の利害に影響を与えることがしばしばある。それらの関係者は、自己の利益を主張し、自分たちに有利な形で最終的な決定が行われるように、少なくとも不利な形で決定が行われないように、決定過程に働きかける。

　彼らは、決定の前提となる客観的な情報やデータがない場合には、自己に有利な情報を根拠に決定することを要求するであろうし、タイムリミットを利用して、自己に有利な時点での決定を図ろうとする。

　このような利害関係者間の合意の形成は容易ではなく、そこでは主張の根拠となる情報やデータの提示や論証による説得力だけではなく、それらを超えた交渉や議論の技術が必要とされる。

●組織における決定の仕組み

　このように、現実の政策決定の場面には制約があり、充分な客観的データに基づく合理的な決定は理想ではあっても、実際には困難である。第3章で述べた政策科学の研究は、このような状況を改善し、できるだけ決定を合理的なものにするために進められてきたが、まだそれを応用して決定を合理的なものにすることができる範囲は限られている。

　こうした状態であるにもかかわらず、現実には、政策決定やその他の行政上の決定は、一定の期日までに行わなければならない。とくに災害対応など、緊急性を要する事項の場合には、決定は迅速に行わなくてはならない。

　そのため、行政の制度においては、多くの場合、最終的に公的な決定を行うのは、大臣等の一人の人物とされている。このような制度を「独任制」というが、それがどのようなものであるかについては、第6章で述べたマックス・ウェーバーの官僚制論および第7章で述べた現代組織論における組織に

おける情報処理のあり方を思い出してほしい。行政機構は、そもそも上記のような制約条件下での決定を想定して作られているのである。

　だが、現実の決定においては、タイムリミットのある中で不確実な情報に基づき、多様な利害関係者の意見を集約しなければならない。それは、結論に関して、異なる意見の持ち主の主張を調整し、可能ならば全員、それが困難な場合には、提案された結論の案に多数の支持を得ることにほかならない。多数が反対している場合には、仮に決定権者が決定を行ったとしても、その決定が期待通りに実行されるとは限らないのである。

　そのような意見の調整・集約の場として、制度上は、審議会等の諮問機関が置かれているが、その有無にかかわらず、実際の政策決定の場面では、非公式な形であれ、利害関係者の意向を聞き、多数が賛成する案を作成しそれに支持を得ることが肝要である。

第3節　合意形成

● 決定への参加と合意形成

　実際の政策決定においては、上述のように、それが審議会等の公式の場であるか否かにかかわらず、異なる利害関係にある多様な人たちが話し合って、結論を一本化しなければならない。つまり合意に達しなければならない。実際には、どうしても意見の一致をみない場合もあるが、それでは政策は決定できず、問題は解決しない。

　そこで、現実の世界では、こうした合意形成を行う協議の場に、広く関係者の参加を促す。できるだけ多くの関係者の参加を得ることで、そこで決定されることがらについて、多様な意見を反映し賛同者を多くするためである。もちろん、会議の場に多数の者が参加すると、会議の運営は困難になり、実質的な議論ができない可能性がある。それゆえに参加者の人選が重要になるが、さまざまな意見を広く代表している人たちによって決定されることが肝要である。

　このように多くの参加を得て議論をし、合意に達することが重要であるが、

話し合えばつねに合意に到達できるとは限らない。いかに譲歩するといっても、どうしても譲れない一線はあるし、相手が譲歩しない場合には、自分たちも譲歩できないといった状況は、しばしば経験するところである。

しかし、タイムリミットまでに結論を出さないと、事態は前に進まない。そのため、論点について充分に議論を重ねたのち、タイムリミットがくると、最終的には多数決で決定することになる。もちろん、全員一致ないし特別多数を要件とする決定のルールが定められている場合もある。

それゆえ、会議において、自分に有利な形での結論を得ようとするならば、自分の主張を支持してくれるメンバーを多数獲得することが必要になる。もちろんそれぞれの意見が異なっている場合、自分の主張に賛同を求めるには、説得し相手の考え方を変える、あるいは相手の主張を一部取り入れ譲歩をして賛同を得る、などの取引あるいは交渉が必要である。

そのような交渉を経て、多数の者が合意できる案が作られれば、それが結論となる可能性が高い。ただし、反対の立場の者も、同様に支持獲得の工作を行うことから、そこでデータや根拠を示して主張、反論、再反論が繰り返されて、意見が集約されていく。

● 合意の類型

こうした議論による決定までのプロセスを上手にコントロールすることが、合意形成においては重要である。そして、理想としては、全員が納得し受け容れられる結論に到達することが望ましい。しかし、重要な利害に関わる決定等の場合、容易に譲歩はできないし、意見が対立したまま多数決に持ち込まれることも珍しくない。

このような合意形成の形態を類型化すると、**図表12-1**のようになる。
① **了解** 会議の参加者が話し合い、全員が合意できる案に到達する場合である。参加者は、それぞれ自己の考え方や利益を有しているが、話し合いの結果、そうした考え方を変え、あるいは何が自分たちにとって利益であるかという認識を変更することによって、共通の考えに至る場合である。

たとえば、それまで産業振興、経済発展を主張していた者が、環境保護を

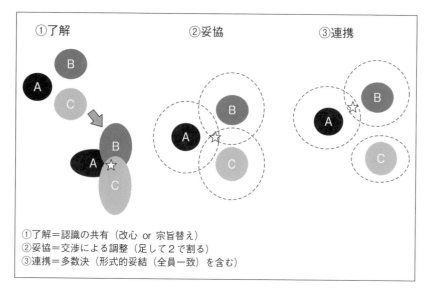

図表12−1　合意形成の類型

主張する人たちと議論した結果、環境保護の重要性を認め、譲歩して環境保護に歩み寄り環境に配慮した産業振興策を受け容れる場合である。この場合、同様に、環境保護を主張してきた者も、産業振興の重要性に配慮を示すことにより、両者が基本的な認識のレベルで合意に達したということができる。

②妥協　この場合も、全員の合意に到達するが、話し合いの結果、それまでの認識や価値観を変更するわけではない。それまでの考え方や主張は不変のまま、事態を前進させるために、妥協によって共通の了解に達するのである。たとえば、両者のいい分を足して2で割り、中間の案で折り合うというような場合である。

この場合、合意した案に合理性はない。そもそも合理性は不要というべきかもしれない。要するに、利害関係者が歩み寄って、受け容れることができる地点を見出したにすぎないからである。また、異なる課題について利害関係者がそれぞれ譲歩し、痛み分けによって妥協する場合や、繰り返される課題については、今回は譲歩するが、次回は譲歩してもらうという約束によっ

て、合意する場合もあろう。

したがって、「了解」の場合には、情勢が変わらないかぎり、一回の決着で以後問題が繰り返されることはないといえようが、「妥協」の場合には、次回また交渉や駆け引きが展開される可能性がある。

③**連携**　決定が多数決で行われる場合、全員の合意ではなく、多数を形成できる構成員の間で協議し妥協することによって、彼らにとって有利な形で最終的な決定に持ち込むことができる。この場合には、少数者の利益や意見は決定結果に反映されない。

課題をめぐって参加者の間での意見の対立が激しいとき、タイムリミットが迫ってくると、しばしばこのような多数派工作が行われる。その場合、過半数の構成員の合意に到達する方が、全員の合意を得るよりも容易であることから、多数派の合意は成立しやすい。

現実には、交渉過程で、不利な状態に置かれたと感じた少数派の構成員は、そのまま妥協を拒否して不利な最終決定を招くよりは、大幅に譲歩しても少しでも自分たちの利益を決定に反映しようとする可能性が高い。この場合、この譲歩が受け容れられると、実質的な妥協と異ならない。

実際の政策決定過程では、今例示したような協議や交渉が行われて合意に達する。したがって、その合意された結論は、先述の合理的決定のモデルが描く理想像とは乖離していることが多い。

●**エビデンスに基づく決定**

第3章で述べた政策科学がめざしたのは、このような交渉の巧拙や駆け引きの力量など政治的に決定が行われる状況は合理性に欠けるため、可能なかぎりデータや科学的知見に基づいて、政策を決定する状態である。

もちろん、政策決定には、価値判断を伴うこともある以上、それは議論を通して決定しなければならないが、そうではない多くの場合は、信頼できるデータと結論を導く確立された方法があるならば、半ば自動的に結論が導き出されるはずである。それは、われわれが用いることのできる科学的知見として、現在においてはベストの解を与えてくれるということができる。

以前は、それでも関係者が受け容れるそうした知見は限られていたが、今日では、第10章で述べたように、ITの進歩によって、ビッグデータの収集と解析が可能になっており、そうした技術やデータを活用することによって、まさにエビデンス（根拠）に基づく政策決定（Evidence Based Policy Making = EBPM）が実現できるようになってきた。それによって、政策決定の状況を制約していた不確実性を減らすことができるはずである。

　もちろん、不確実性を大きく減らすことは困難かもしれないが、たとえば国民番号に基づいた全国民のデータを用いることによって、異なる見解をもつ構成員が全員受け容れることのできる事実前提の範囲を大幅に拡大することができるといえよう。それによって、議論し主張や利益を調整しなければならない余地は縮小するはずである。

　これからは、このような最先端技術を活用した政策決定の方向へ向かっていくべきであり、そのような方向に進んでいくと思われる。

第4節　調整と計画

● 調整

　合意形成は、見方を変えれば、多様な意見を調整し一本化することにほかならない。行政機関間の調整が、行政改革における重要な論点であったことは第8章で述べた。

　調整は、当然、調整の対象となる主体、事項と期間において、その内容も、また調整に要するコストも異なる。調整の対象となる主体の数が多い場合や、対象となる事項が複雑で多項目に及ぶ場合、また長期間に及ぶ内容を対象とする場合には、調整自体が困難であるとともに、合意に至る可能性も低くなる。

　しかし、そのような難しいケースにおいて調整が成功し、長期にわたって合意が形成された場合には、関係者の間に予測可能な安定した将来像を提供することになろう。もちろん、それは将来に関わることであり、一定の予測に基づいて成り立っている。合意した当時、想定していなかったようなでき

ごとが発生した場合には、むしろ過去の合意は、状況適応を妨げる制約となりかねない。

　ここから導き出されるのは、将来予測が可能なかぎり、多くの利害関係者が、詳細に、将来の彼らの長期に及ぶ行動について合意をしておくこと、すなわち精度の高い長期的な事前調整を行うことは、長期にわたって資源の効率的な利用を可能にし、調整を必要とする紛争を減らすことになるということである。

　行政においてしばしば用いられる「計画」という手法は、このような考え方を反映した事前調整の公示形式の一つということができる。

●計画

　将来の行動や資源利用（配分）の設計図ないし青写真としての計画は、限られた資源の有効な利用のあり方について、将来にわたって体系的に示した「案」と理解することができよう。

　計画は、第1に、含まれている要素が体系的に組み合わされているという意味での「体系性」、すなわち単に将来実施したい事項を羅列したものではなく、それらが因果関係を含め、政策目的を達成するために、矛盾や欠落なく組み合わされていること、第2に、限られた資源を有効に利用するために、行うべき行動の「優先順位」を明確にしていることが、その必要条件である。

　もちろん計画が、どの範囲までの事象をカバーしているか、どの程度詳細に記述しているか、どのくらいの期間を射程に入れているか、も重要であり、多くの事項について幅広く長期にわたって詳細に記述している場合には、前提とする環境変化が起こった場合、将来的に計画との間に齟齬が生じ、不合理な事態を招いたり、紛争を引き起こすことになりかねない。

　他方、限られた事項について短い期間について粗く規定している場合には、射程外の事項との間で、また詳細な点について、将来的に調整が必要とされることになりかねない。実際には、環境変化の規模と速度を勘案しながら、その機能が最も発揮されるような制度や期間で計画を立て、一定期間ごとに見直す仕組みを組み入れておくことが望ましいといえよう。

ところで、ここでいう「計画」とは、政策よりは具体的な概念であり、政策を実現するための実効的な形式の一つということができる。他方、次章で述べるように、行政機関に活動を義務付ける法制度とは異なり、計画自体は権利義務に関わる法的な拘束力はもたない。もちろん、計画を策定することに法的な裏付けがある場合には、一定の法的拘束力をもつ。

　ただし、将来の行動や資源利用のあり方について、一定の形式で表現された合意内容に、関係者は、当然、信義則によって拘束されると考えるべきである。したがって、計画に示された行動と異なる行動を行った場合には、その者は説明責任を負わなければならない。

●わが国の計画行政

　このような「計画」という手法は、利用できる資源が限られているときに、長期にわたって開発を行ったり、大規模な投資を行う場合には、有効でありしばしば行政分野で用いられる。

　わが国では、高度経済成長期から国、地方自治体で、こうした計画手法が数多く用いられている。将来の発展に対する投資を効率的に行い、成長をさらに進めることが狙いである。地域や諸分野の事情に応じた将来像を実現するために、計画を作り、その実現を法的、財源的に裏付けることによって実効性を担保しようとしたのである。たとえば、地域振興計画等、その地域の発展やまちづくりのために、体系的、合理的に大規模な公共事業を計画という形式で定めることによって、事業の実施とそれに要する長期的な財源の確保が図られたのである。

　この手法は、経済の成長期には多用されたといってもよいだろう。しかし、限られた資源を体系的、効率的に使用するという計画の本来の機能を、当時の計画が充分に果たしていたかというと、それは疑わしい。むしろ実態は、何らかの事業を行うための根拠として、また予算の裏付けを得ることを目的として策定されていた感が強い。それゆえに、計画の内容において体系性に乏しく、事業間の優先順位も明確ではないケースが少なからずあったといえよう。

●これから必要とされる計画

　それゆえ、経済が右肩上がりで、いずれは財源が確保される状態が続いていたときは、いつかは実現されたであろう計画の事業も、経済が停滞し、財源の確保が困難になったとき、まさに画餅に帰した事業が多数生まれた。むしろ計画に書き込まれたことによって、将来の資源利用が縛られ、行政活動の硬直化が生じたといえる。

　第1章の冒頭で述べたように、これからは人口減少が進み、経済の成長もこれまでのようには期待できない時代になる。そのような時代には、減少する資源をいかに有効かつ効率的に使うかが、重要な課題になろう。

　そのような場合にこそ、計画という手法が活用されるべきである。行うべき事項の優先順位を明確にし、優先する事項から実施し、優先順位の低い項目は後回しないし中止する。このような内容の計画は、策定に当たっての調整と合意形成のコストが大きいが、反面、長期的にみて、縮小が予想される時代に地域や組織が生き残るための決定を合理的に行うことができるといえよう。

●非常時における計画

　コロナ禍で明らかになったように、われわれの社会は、突然、想定していなかった事態に直面することがある。災害時や国際紛争などが発生した場合である。そのような場合には、通常時と異なる行政活動が求められる。

　そのような事態に適切に対処するためには、想定される非常時に依拠すべき計画を、予め作成しておくことが必要である。たとえば、災害時には、通常時と異なり、医療をはじめとして大きな需要が発生する。他方で、必要とされる資源は限られている。したがって、資源を配分する優先順位や効率的な資源配分の方法などを予め決めておき、非常時であることが宣言されたならば、直ちに、その体制にシフトすることによって迅速に対処する仕組みを「計画」として定めておくことが望ましい。通常は参照されないが、災害が増加しつつある現代においては、とくに非常時に備えて作成しておくべきであろう。

第13章 政策の執行

第1節　政策執行の枠組み

●政策の執行活動

　前章では、政策の決定過程について述べた。決定段階で作られるプログラムとしての政策がいかによくできていたとしても、政策が的確に執行ないし実施されなくては、現実に効果を発揮しえないことはいうまでもない。

　今日の行政国家においては、決定から執行に至る政策過程の大半は、行政機関の内部過程として展開されているが、そもそも行政活動とは政策の執行活動であり、議会で制定された法律や条例、予算を執行する活動である。そこで、この章では、この本来の行政活動ともいうべき執行活動について考察することにしたい。

　ところで、この政策の執行活動が、行政学において重要な研究対象として認識されたのは、意外なことに、それほど古いことではない。それまでは、行政学では、政治と行政の関係か、あるいは官僚制の性質と行政組織の管理の問題に関心を集中させてきたといってよい。政策の執行活動は、法律や条例の機械的な適用とみなされ、どのように行政機関が社会に働きかけ、行政官が国民との接点において、どのような活動を行っているかという執行活動の実態については、あまり関心が払われていなかったといえよう。

　しかし、1970年代に入り、政策の執行活動についての関心が急速に高まり、以後多数の研究が発表されるようになった。その嚆矢は、1973年に出版されたJ.プレスマン（J.Pressman）＝A.ウィルダフスキー（A.Wildavsky）著『インプリメンテーション』（Implementation）であり、その後1976年に出版されたC.フッド（C.Hood）の『行政の限界』（The Limits of Administration）等が、以

後の執行過程分析の枠組みを形成した。

　それらの研究の主たる問題関心は、事前によく練られ、多数の人々の政治的支持を得て決定された政策であっても、それが執行されると、充分な成果をあげることができない、あるいは失敗に帰す、さらにはもっと厄介な問題を発生させるといった、政策執行の失敗の原因究明に向けられた。そして、その原因が政策そのものの不備にある場合もあれば、環境の予期せぬ変化によることもあるが、多くの場合は、そもそも執行活動を担当する行政機関の活動システム自体に欠陥があることが発見された。

　そこから、その活動システムの欠陥とはどのようなものか、それ以前に、執行活動の基本的メカニズムはどのようなものか、についての探求が行われていったのである。

●執行活動の構造

　ところで、政策の執行活動とは、一般的な形で定められた法律や条例を個々の事案に適用し、あるいは定められた使途に予算を支出することによって、対象に働きかけ、多数の対象の行動を制御することによって、一定の社会状態を作り出そうとする活動である。それは、いいかえれば、抽象的・一般的な規範をより具体的な基準に具体化し、さらにそれを個別ケースに適用するという活動にほかならない。

　一例を挙げれば、交通安全のために設けられている自動車の速度制限は、現在の日本では、道路交通法第22条第1項の「車両は、道路標識等によりその最高速度が指定されている道路においてはその最高速度を、その他の道路においては政令で定める最高速度をこえる速度で進行してはならない。」を根拠とし、政令でより具体的な基準を定め、さらにその基準に従い、各道路について最高速度を定め、それを標識等で表示することによって具体化されている。そして、最高速度を超える速度で運転しているドライバーを取り締まり、制限速度をドライバーに遵守させることによって、交通安全を保とうとしているのである。

　このような執行活動を法律や条例の単なる機械的な執行とのみ捉える視点

は、現代の行政活動の理解としては不充分である。現代の行政活動はもっと積極的な役割を果たしているのであり、それは、社会で発生するさまざまな課題に取り組み、前述のように、社会システムが適正な状態にあるように制御する機能を果たすことである。

したがって、法律や条例は、むしろ法治主義の観点から、執行活動に根拠を与えるとともに、一定の禁止行為を規定する枠組みとして理解されるべきであろう。要するに、現代の執行活動は、そのような法律や条例の制約の中で、積極的に社会の問題を解決し制御を行うことが期待されているのである。

このような執行活動は、それをさらに分解すれば、おおよそ①抽象的・一般的な法律や条例を具体化して、実際の活動の枠組み・行動基準を作成する「基準設定」の段階と、②一定の時期および範囲内で、限られた資源を用いて行うべき執行活動の内容を決定する「方針決定」の段階、そして③それらの基準や方針に従って、実際に個別の対象に働きかけ、その行動を制御する個別ケースへの「基準適用」の3段階に分けることができる。

● 基準設定

これらの3段階は、政策のほぼ全分野に共通しているが、各段階の具体的形態は政策分野によって異なる。

基準設定に関しては、たとえば規制行政の分野では、許認可の基本的な基準が法令で定められている場合に、その基準の各項目を具体化した数値基準や、許認可の手続・要領等を定めることが、この段階に相当する。また、補助金やその他の給付を行うサービス行政では、対象者の要件や給付の具体的金額等の基準、優先順位、申請と給付決定の手続等を定めることが、この段階に該当する。

こうした基準は、その執行活動を所管する行政機関の中央の組織で設定され、通知等によって、実際に取締りや指導監督を行う現場の組織に伝達される。

執行活動とは、比較的安定した枠組みである法令の範囲内で、変化する状況に適応して社会システムを制御する活動であることから、社会環境の変化

に応じて、このような基準の改定や設定を柔軟に行わなければならない。

さらに、サービス行政では、給付総額に上限があることから、給付されるサービスの質が対象者の数と資源の量によって規定され、加えて対象者の多様な状態にもかかわらず、平等・公平な給付が求められるため、基準のきめ細かな修正・整備が必要となる。第10章で述べたように、こうした平等性、公平さを確保しつつ、適正な配分額を計算する上で、ＩＴが果たしうる役割は大きい。

第2節　基準の適用

●行政官の行動

　法令の内容を具体化した基準に基づいて、担当の行政官がそれを現実の具体的なケースに適用して、はじめて行政活動はその効果を生み出す。それは、行政活動の最前線にいる現場の行政官が、相手たる国民との相互作用を通して展開する活動である。

　こうした活動は、街頭パトロールの警察官やケースワーカー、学校の教師など、状況に応じた判断が求められることの多い業務において、とくに重要である。このような、専門職として採用され、専門家としての職業倫理に基づいて行動している行政官は、「ストリート・レベルの行政官」と呼ばれている。

●執行活動の要件

　執行活動が、そしてその担い手である行政官が業務を遂行する上で満たさなければならない要件には、次の三つがある。これらは、当然、行政官の行動についての評価基準でもある。

①**適法性**　第3節で述べるように、現代行政は、法治主義の原則に基づいて実施され、執行活動は法律上の根拠を必要とし、法律に違反してはならないとされている。違法な執行活動は裁判所によって取り消されるとともに、国家賠償の対象となる。したがって、法律に則っていること、違反していない

ことが第1の要件であり、評価の基準である。
②**有効性**　執行活動は、一定の政策目的の実現をめざして行われており、法律に従ってその目的をできるかぎり達成することが求められている。したがって、執行活動が有効であることが要件であり、目的の達成度および、その活動の社会における有効性が評価されることになる。
③**効率性**　法律に従い、社会的に有効であるとしても、その効果に対して不必要に多くの経費を使うことは許されない。執行活動に投入できる資源量は有限である以上、可能なかぎり少ない資源で大きな効果をあげることが望ましく、資源利用の効率性が重要な評価基準となる。

●**執行活動の制約条件**

　執行活動では、これらの要件をすべて満たすこと、要するに、適法で、政策目的を達成するという意味で有効であって、しかもそれを効率的に最少のコストで達成する行動が求められている。しかし、実際には、次のような制約が存在し、つねにこれらの要件を満たすことは難しい。
①**法的制約**　執行活動には適法性が求められるが、行政官の観点からみて、つねに法律が目的達成のために充分かつ必要な権限を行政官に与え、行動内容を指示しているかというと、必ずしもそうとはいいがたい。社会環境の変化によって前提とする状況が変わったにもかかわらず、充分な法改正が行われない場合などには、必要な権限が付与されなかったり、不要で煩雑な手続が執行活動を制約することになる。
②**予算・資源の制約**　執行活動は、予算やその他の人的・物的資源を用いて行われる。それらの資源が目的達成にとって充分であれば問題はないが、現実には、充分な予算や資源が与えられることは少なく、それらの不足は、当然に執行活動の有効性を減殺することになりかねない。それゆえに、執行活動には、効率性が求められるのであるが、それにも、もちろん限界がある。
　これらの執行活動に内在的な制約に加えて、制約要因には、執行活動が向けられる社会そのものに関するものもある。
③**社会状況の複雑さと流動性**　有効で、効率的な執行活動は、社会状況につ

いての充分な情報と、それに基づく正確な予測によってはじめて可能になるが、複雑で変化の早い社会は、そのような情報の収集と予測を困難にし、それが執行活動を大きく制約することになりかねない。

④**国民の利己的行動**　執行活動は、多数の国民に向けられた、国民を対象とする活動である。多くの人々は、ルールを守って制度を正しく利用するであろうが、一部の人たちは、規制を回避し、取締りを逃れようとし、あるいは制度を不正に利用しようとする。このような自己利益のみを追求し、社会的なルールを守ろうとしない利己主義者が多数存在すると、執行活動の効果は失われることになりかねない。そもそも行政における制度の多くは、このような不心得者に対処するためのものであるといってよい。

●違反行為と規制戦略

そこで、行政官は、ルール違反の行為を取り締まることになるが、前述のような制約下にある行政機関がすべての対象を監視し、すべての違反行為を取り締まることができないことはいうまでもない。そのため、効果的に違反行為を抑止するための戦略が重要になる。その際、配慮されるのは違反行為の絶滅ではない。それは、望んでも不可能か、可能であったとしてもコストがかかりすぎる。重要なことは、執行活動が政策目的の観点からみて有効であることであり、違反行為をゼロにすることではなく、違反行為による社会的障害を最少化することである。

このような規制戦略で考慮されるべき事項は、まず①義務の遵守状況、すなわち違反状態の把握であり、次いで②違反行為を行う者の動機の分析、そして③それに応じた対応戦略の選択である。

●状況把握と情報

執行活動を円滑に実施するためには、社会状況を正確に把握しておくことが重要である。各種の統計制度や報告制度など、情報収集のための制度も存在しているが、それらでは個別の違反行為についての情報を収集することはできない。そのような情報は、被害者からの通報に頼るか、行政官自らが収

集しなければならない。しかし、ヤミの販売行為や賭博のように、直接的な被害者がいないため通報が期待できない場合もあり、それらについては、行政官自らが情報収集に当たらなくてはならない。このような情報は、相手が隠匿しようと努めている以上、収集にはコストがかかる。いかにそれを効率的に収集するかが、執行活動の効果を左右する。

●違反行為の動機と対応戦略

　違反行為の原因として、最も多いのが、ルールの存在や義務の内容を知らないために違反行為を行う「善意の違反者」の場合である。刑法上の罪とは異なり、行政上の義務はわかりにくく、ルールも複雑であることが多い。そのため、「知らなかった」がゆえに違反行為が行われやすい。

　次が、義務の存在を知りながらも、摘発の可能性が低いのをよいことに、違反行為の利益と捕まる可能性とを天秤にかけ、利己的な動機から違反行為を行う「利己主義者」の場合である。

　第3は、ルール自体の正当性を否定し、公然と違反行為を行い、むしろ社会にそれをアピールすることを狙う「確信犯」の場合である。数としては少ないが、この主張に世論が同調を示すと規制は難しい。

　これらの違反行為に対する対応戦略は、当然に違反行為の動機によって異なる。善意の違反者に対しては、何よりもルールの存在と内容を教える「周知戦略」が有効である。彼らに厳しく罰則を適用する必要はない。他方、義務の存在を知りながら違反行為を行う利己主義者に対しては、厳しく罰則を適用する「制裁戦略」を用いるべきである。しかし、彼らは、捕まったとき、善意の違反者を装うであろうから、それを見抜くことが行政官には求められる。彼らに対しては、いうまでもなく周知戦略では効果はない。

　確信犯に対する対応は難しい。もちろん周知戦略では効果はないし、制裁戦略は、逆に彼らの反抗心をあおり、むしろ社会に訴える機会を与えることにもなりかねない。とくに、制度そのものに問題があり、彼らの主張にも一理ある場合などには、ルールや制度運用の修正とか、違反行為の黙認、例外的承認等の「適応戦略」が取られることになる。

その他、第11章で触れた物理的制御手段を用いる「制止戦略」も考えられる。これは、実施できれば効果的であるが、用いることができる機会は限られている。

●対応戦略の選択

これらの対応戦略の選択は、当然違反行為の類型によって決まってくるが、その際、考慮されるのは、全体としての執行活動の有効性および効率性であり、違反行為がもたらしかねない社会的害悪を最も効率的に、最大限抑制できるような資源利用のあり方が模索される。

その結果、一般的な遵法状態を高めるために、広く薄く取締りを行う戦略が選択されることもあれば、悪質な一部の違反行為に取締り能力を集中投下する場合もあろう。後者の場合には、軽微な違反行為は黙認され、放置されることになる。それでも社会全体として、よい状態が実現されるのであれば、その選択は合理的であるということができる。

第3節　法治行政と行政裁量

これまで述べてきたところからも明らかなように、現代の行政活動は、地方自治体が制定する条例等を含めた広い意味での法令に基づき、法令に拘束されている。今日では、制定されている法令の大半が行政活動に関するものであり、行政活動は、このような法令に基づいて行われ、国民は違法な行政活動に対して裁判所に救済を求めることができる。

このような制度の前提にある考え方が、「法治行政の原理」であり、現代民主主義国家における行政の基本原理の一つである。ここでは、この法治行政の原理を手がかりに、行政活動における法令をめぐる諸問題について考察しておくことにしたい。

●法治行政の原理

法治行政の原理が形成されたのは、歴史的にはヨーロッパ諸国の政治体制

が絶対主義から立憲君主制へ移行した時期である。立憲君主制においては、君主が自ら憲法を制定して自己の統治権に一定の制約を加えるとともに、議会の立法権を認め、権力の分立制を確立した。そして、君主に一部の立法権が留保されたものの、議会の制定する法律によらなければ、国民の権利を制限し、義務を課すことができないという法治行政の原理を確立したのである。

この法治行政の原理は、行政法の教科書によれば、次のような諸原理からなると説明されている。

①**法律の優位**　どのような行政活動も、国民を代表する議会が制定する法律に違反してはならず、法律が他のいかなるルールにも優越し、法律に違反するあらゆるルールは無効であるという原理。

②**法律の留保**　少なくとも国民に義務を課し権利を制限する行政活動については、必ず法律上の根拠を必要とするという原理。

③**法律による裁判**　行政活動の違法性をめぐる判断は、行政権から独立した裁判所が行うという原理。

この法治行政の原理の解釈に関しては、英米法的な「法の支配」（rule of law）の考え方と、ドイツ法的な「法律による行政の原理」（Prinzip der gesetzmäßigen Verwaltung）の考え方とでニュアンスが異なるが、この原理が、近代以降において、行政権による公権力の行使に根拠を与えるとともに、その濫用を抑止し、公権力の行使を統制するための基本的な原理であることに違いはない。

● **自由主義的理解と民主主義的理解**

ところで、今述べたドイツ法的、英米法的という区別とも関連しているが、この原理については二つの理解の仕方がある。

その一つの自由主義的理解は、この原理を、国家権力から個人の自由と権利を守ることを主眼とする自由主義の原理として理解する。この理解の場合、国家の行政活動による権利の侵害に対して自由と財産を防衛するという、どちらかといえば消極的な権利擁護の発想に立って理論形成がなされている。行政に関する法解釈論の研究を任務とする行政法学では、伝統的に、このよ

うな理解に基づいて理論が形成されている。

この理解では、たとえば、法律の留保の原理については、国民に義務を課し権利を制限する活動については厳しく法律の根拠の必要性を説くが、反面、国民の権利や自由を制限しない活動については、必ずしも法律の根拠を要求するものではないと解される。すなわち、国民の権利・自由の制約を伴わず、法律の根拠を要しない行政活動の領域が認められているのであって、そこでは、個人としての国民の集合からは独立した、自律的な行政活動の主体としての国家の存在が前提とされている。

それに対して、もう一つの民主主義的理解は、議会の立法によって行政機関を創設し、法律の授権によって行政活動の内容を指示するという民主主義的発想に立つ。この理解では、いかなる行政活動も、原則として、法律上の根拠なしには存在しえず、その範囲は国民の権利・自由に関するものに限定されない。そもそも政府は国民の参加によって形成されるものであり、法律は、行政活動を形成し、統制する手段として理解される。そこでは、積極的な民主的統制という発想に基づいて理論が形成されている。

このように、法治行政の原理の理解については、二つの考え方があるが、後者の民主主義的理解に基づいて、法律の統制を受ける範囲を広く考えたとしても、現実の行政活動の細かな点についてまで、議会が立法によって統制することは到底不可能である。そこに行政活動における裁量の問題が存在している。

●行政裁量

現代行政国家においては、行政活動の規模は著しく拡大し、その多くが国民の権利・利益に密接に関わる以上、それは、法律や法律に基づく政令等の法令によって規定されるべきものであるが、現実には、そのすべてを法定することは困難であるというよりも不可能である。

もしこれらの活動をすべて法令によって規定しようとするならば、将来起こりうる事態を完全に予測し、予めそれに対する対応を定めておかなければならない。だが、それは到底不可能であり、ましてその内容が高度に専門的

な分野や社会情勢の変化に応じて流動的な領域では、容易に変更できない法令で詳細に規定することは望ましいことではない。

今日のように、内容が高度に専門化した行政活動にあっては、杓子定規な法令に基づく決定よりも、むしろ専門家である行政官による柔軟な裁量的判断に委ねる方が望ましい場合もある。とくにその内容について実体を規定することが難しい分野、たとえば、技術進歩が著しい分野等については、具体的な規制のあり方は、行政機関の制定するルールやガイドラインに委ね、それらを決定する手続をしっかりと法令によって規定しておく方がベターである。

しかし、そうはいっても、行政裁量は法令による統制を受けない活動であることから、行政官による公権力の濫用や恣意的な決定を招く危険がないとはいえない。相手方の事情に応じた柔軟な決定は、ときに差別的取扱いや依怙贔屓ともなりかねない。

それゆえ、今日の行政裁量をめぐる議論では、一方では、その必然性や効用を認めながらも、他方で、その濫用の防止や統制の方法が論じられている。それとともに、裁量的決定の合理性を担保するために、事後的にであれ、決定過程をできるかぎり公開し、その透明度を高めておくことが重要である。

●**行政指導**

ところで、上述のように、現代の複雑で流動的な社会においては、行政活動を法令で規定するには限界がある。現実に発生する課題に取り組むために、社会システムの微調整が必要であり、それには、国民に対する法令に基づく権限行使ではない、情報提供や助言、さらには行動の要請もありうる。

それを法令に違反しない範囲において、適切に行うのが行政官の裁量であり、社会を安全で快適な状態に保つことが使命である行政官にとっては、そうした行為は、当然であって、必要な行為といえる。

このような指導、助言や要請といった行為は、「行政指導」と呼ばれる。その中には、国民に対する個別的な要請や助言、勧告も含まれるが、それよりも広い業界や不特定の国民を対象とした「要綱」と呼ばれるような、実質

的にはルールと異ならないものもある。

このような行政指導は広く行われてきたが、かつてこれが問題とされたのは、行政指導によって実質的に、法律の根拠に基づかない規制が行われていると指摘されたからである。行政機関が、国民や業界等に、たとえば法令上の義務は履行されていても、より一層の安全性を確保するために、法令が定める以上の基準を遵守するように要請することは考えられる。

ただし、要請であり法令に基づく命令等ではない以上、それを受け容れ従うか否かは、国民の側の任意である。にもかかわらず、他の法的根拠を背景として、強く要請したり、指導をしたケースがしばしばみられ、それが法令の根拠を欠く行政機関の権力の行使に当たり、法治行政の原理に反して不当に国民の権利を制限するものである、という点が問題となったのである。

行政機関の側は、行政指導に従うか否かはあくまでも任意であり、従うことが義務付けられるわけではない、という見解であったが、国民の側は、もし行政指導に従わなかったならば、他の法的な権限の行使や当該ケースとは異なるケースで不利な扱いを受ける可能性がある、という認識から、行政指導には従わざるをえないと考えられたのである。

●**行政手続法による規制**

こうした行政指導の問題は、1993年に制定された行政手続法において規定され、制度的には解決が図られたといえよう。すなわち、行政手続法第2条第6号において、行政指導とは、「行政機関がその任務又は所掌事務の範囲内において一定の行政目的を実現するため特定の者に一定の作為又は不作為を求める指導、勧告、助言その他の行為であって処分に該当しないものをいう。」と定義され、同法の第4章において、行政指導の方法や形式が定められた。

その後、不当な行政指導は減少し、今日では、行政指導のあり方が問題とされることはそれほどないようである。それは、違法な行政指導の形態が明確に法定され、適法な行政指導が定着したことによるものと思われる。

ただし、行政機関と国民との関係は、場合によっては、法的な形式的関係

を超えた信頼に基づく協力関係でもありうる。そのような関係を用いて、意に反する行為を要求してきたのがかつて問題となった行政指導の形態であったが、国民がそのような要求を受け容れざるをえなかったのは、国民と行政機関の間の一種の権力関係において、行政機関の側が優位に立っていたためであろう。

　第5章で述べたように、近年、政治との関係において、行政機関の地位は低下し、各府省の業界や国民に対して有する影響力は低下してきている。そうした状況の下で、国民は、行政指導に従う義務がない場合には、任意で受け容れることを拒否するようになったといえよう。それも、適法な行政指導がわが国の行政の世界で定着し、変化する状況に応じて適切に機能している一つの理由であると思われる。

●規制と行動変容

　ところで、2020年の新型コロナウイルス感染症の蔓延は、政策の執行において、それまでの要請や、行政指導等のソフトな規制の有効性について問題を提議した。すなわち、感染を抑制するため、当初、外出の自粛や人と人との接触の削減をめざして飲食店の休業やテレワークの実施等の国民の行動変容を要請した。だが、そうした自粛の要請が長期化するに及んで、経済的な苦境に陥る人たちも増加し、要請だけでは充分な効果が得られなくなってきた。

　そこで、要請や金銭的補償だけではなく、一定の規制を行うべきだという意見も主張されるようになった。規制にも、強力な外出禁止を義務付けるロックダウンといわれる都市封鎖から、リスクのある行為を行い、停止の要請に従わなかった者に対して、警告ののちに行使される取締り等まで、その強度と形態に幅があるが、いずれにせよ国民の自由や権利を制限することになるため、法的根拠が必要であり、その是非をめぐって議論が展開された。

　国民の基本的な権利を守りつつ、いかに効果的な行動変容を実現するか、国家が公権力を行使する機会と程度について、民主主義社会における根源的な課題が顕在化したといえよう。

第14章 政策の評価

第1節 政策評価の考え方

　政策過程は、社会的な課題を解決していく無限に続く循環過程である。したがって、一つの課題の解決が新たな課題を生む可能性があり、過去の過ちを繰り返さず、過去の経験を活かすためには、政策についての評価を政策過程の中にきちんと位置付けておくことが大切である。

　この章では、これから行政の分野においてますますその重要性が高まると考えられる政策評価について述べることにしたい。

　政策は、第11章で述べたように、社会的な課題の解決をめざして策定される。それは課題の原因を探り、その原因を取り除くために行政機関がどのような活動をしなければならないか、その社会システムの制御のあり方を示したプログラムである。課題解決という目的実現のため、一定の法制度の下で予算を用いて活動を行い、その活動の効果として課題の解決を図る、つまり望ましい社会状態を作ろうとするものであるが、その目的を達成するために、誰が、どのような行動をどのように行って効果をあげるかを体系的に表したプログラムが、まさに政策の中核となる。

　たとえば、交通事故による死傷者が多いことが課題として取り上げられ、それに対して対策が立てられる。事故の原因が調査され、スピード違反等交通ルールを守らないドライバーの増加が主要な原因と推測される。そこで、交通違反の取締りを強化するために、パトロールカーや白バイを増やし、取締りに当たる警察官を増員することが決定されたとしよう。こうした取締り能力の拡大強化によって、事故や被害が減少することをめざすのがプログラム、すなわち政策の内容である。

●事後評価と事前評価

　このようなプログラムに対する評価とは、実際に事故が減ったかどうかを事後的に検証することである。ただし、取締りという行政活動と最終的な結果である事故の増減との間の因果関係は単純ではない。社会的な結果の発生には、行政活動以外の要因が関わっていることも少なくないのである。

　たとえば、交通事故は、ドライバーのルール違反だけが原因ではない。それ以外にも、自動車の構造上の欠陥や道路の形状、さらにはドライバーと歩行者の高齢化等も事故を増加させる要因である。

　したがって、政策評価という場合、最終的な社会的結果だけではなく、それを変えるための行政活動のあり方、活動量なども適切に評価することが必要である。それには、そもそもの課題解決のためのプログラムそのものの妥当性と有効性の事前評価が重要である。大規模な投資を伴う公共事業のような場合、事後的評価だけでは、失敗したときの社会的損失が大きくなるからである。

　先に例として挙げた交通事故対策の場合、交通事故の発生を抑制するために、取締りの強化が最も有効な策なのか、それとも道路標識等の交通施設の整備やドライバーに対する適切な指導や情報提供でも、同様か、それ以上の効果をあげることが可能かもしれない。そうだとすれば、取締りの強化は、有効かもしれないが、必ずしも効率的な策とはいえないことになろう。

●プログラム評価

　このように考えてくると、政策評価は政策過程の一つの段階として位置付けられるというよりも、実際の政策立案、決定、執行の各段階と並行して存在する過程として位置付けるべきであろう。とくに、事前評価との一体性を考えるならば、その方が適している。そして、ある段階での評価が政策過程の各段階に効果的にフィードバックされることにより、政策過程の改善が促されるであろう。

　その際、重要なことは、事後的に結果が達成されたか否かということよりも、結果を生み出すプログラムとしての政策の妥当性である。結果を生み出

すメカニズムが合理的で、客観的根拠に基づくものであるか、という行政活動を構成する要素とそれらを結びつける論理的な因果関係が重要なのである。

　このような因果関係を示した図は、しばしば実務の世界では「ロジック・モデル」と呼ばれているが、政策立案の段階では、事前評価として、その妥当性、合理性を検証し、論理の不明確なものは排除し、筋の通ったプログラムにすることで政策の質を高めることが重要である。

　また、政策を執行した後では、事後評価として、政策が期待された効果をあげたか否かを検証して、政策の改善にフィードバックするとともに、期待された効果が得られたときにも、それが政策の執行活動によるものか、他の要因が作用して幸運にもその結果が得られたのか、確認する必要がある。

　たとえば、火災による被害の減少をめざした消防力の強化の結果、次の年の被害が減少したとしても、それは本当に強化された消防力によるのか、それともたまたまその年は雨が多かったり、耐火建築の建物が増えたために火災が少なかったことによるのか、それらの点を確認する必要があるのである。

● PDCA サイクル

　このような政策と政策評価の循環する過程は、近年、PDCA サイクルと呼ばれ、政策等の改善のために導入、活用が推奨されている。PDCA とは、Plan ⇒ Do ⇒ Check ⇒ Action、すなわち計画、実行、評価、改善を順次行っていくサイクルを意味している。

　これは、休みなき改善による発展のツールとして各方面で導入が推奨されているが、いうまでもなくこのサイクルが機能するためには、はじめのPlan（計画）がしっかりと作られていなくては、以後の段階はその機能を発揮しえない。

　そして、Do（実行）以下の段階は、政策プログラムのロジックの検証になる。たとえば、交通取締り強化の例では、まず第1に、一定の資源の投入、すなわち予算を付けて、パトロールカー等の機材を購入し、要員たる警察官を増員する。第2に、その要員が機材を使って活動を行う。その活動とは、

取締りの回数であり、それが行われた地点と時点を含めて活動量になる。これが Do である。

　その結果として、交通事故がどの程度変化したか、その増減量の確認が、Check（評価）といえよう。Check の結果、目的を達成していると評価できれば、その政策を継続することが妥当ということになる。それが非常に有効であると評価されたならば、さらに強化が図られることになるであろうし、期待された交通事故被害の減少がみられないならば、Plan の練り直しをすることになる。これが Action（改善）である。

　このように考えてくると、政策立案のとき、課題の解決策、すなわちプログラムを考える作業自体を事前評価の一つとみなすことができる。前提となる情報に基づいて、いくつかの解決策を検討する段階であり、ここでそれぞれの可能性についての評価を行い、その可能性の中から最善のものを採択するからである。

　そして、採択され一定の形式で決定された政策を執行し、その結果についてさらに検証を行う。その結果、期待された効果が得られなかった場合には、当初のプログラムの妥当性を再検証し、問題のある要素を見出し、改善策を検討することになる。

　すなわち、取締り活動にもかかわらず、交通事故が減少しなかった場合には、まずは取締りが当初のプログラムの想定通りに行われたのかどうかを確認するとともに、それが効果を示す前提として、想定していた道路や交通量等、取締り以外の要因の分析を行う。そして次のサイクルでは、それらの改善策を組み入れた政策プログラムを作るのである。

　このような意味で、政策の決定、執行の過程と政策評価の過程とは一体化したものとして考えるべきであろう。

第2節　政策評価の方法

●政策評価の要素

　評価とは一般に、ある基準に照らして対象とする行為や状態が、その基準

を満たしているか否か、どの程度満たしているかを測定し、その後の活動や行為の選択の方向を考える契機とすることである。

　政策評価の場合、その要素として、①何のために評価を行うかという目的、②評価の物差しともいうべき基準、③評価の主体、④評価の対象、⑤結果の表現、⑥結果の判定、そして⑦評価結果の反映が考えられる。

①**評価の目的**　評価によって得られた情報を何に用いるのか。それによって、評価制度のあり方も位置付けも異なってくる。もちろん評価情報は、多様な目的に使うことができるが、主要な目的として(a)自己改善、(b)法令適合性の検証、(c)国民の満足度の測定の三つを挙げることができよう。

(a)　自己改善とは、すなわち政策を立案し、執行している行政機関が自らの任務である業務の質を高め、問題点を改善するために評価を行い、その結果を自らの政策の改善に活用することである。

(b)　法令適合性の検証とは、すなわち行政機関の政策執行活動が、議会が制定した法令の趣旨や予算の目的に合致しているかを確認することである。立法府である議会の行政府に対する統制の一つということができる。

(c)　国民の満足度の測定とは、政策執行という行政活動が国民社会のために行われることから、行政サービスの受容者である国民がそれに満足しているか否か評価し、国民の声を政治過程を通して次の政策に反映させることである。

　評価の目的は、このように複数考えられるが、目的の違いによって、評価情報の内容もその反映の仕方も異なってくる。ときに法令適合性の厳しい評価が、自己改善を困難にし、その結果として国民の満足度の低下をもたらす場合もある。それゆえに、評価者は、特定の目的だけではなく、行政活動と政策の効果の全体を視野に入れて評価を行わなければならない。

②**評価基準**　評価には、当然、評価基準が必要であるが、考えられる基準としては、(a)必要性、(b)有効性、(c)効率性がある。

(a)　必要性とは、そもそも対象となっている政策が、課題を解決するために必要なのかという基準である。政策の執行である行政活動と課題との間に因果関係がない場合や、またあっても他にさらに有効な方法が存

しているような場合には、その政策の必要度は低いと評価されることになる。
(b) 有効性とは、その政策が課題の解決に必要だとしても、どの程度有効か、その政策を執行することによって、完全に課題を解決できるのか、それとも一部改善するにすぎないのか。他の方法との比較において、どの程度有効であるかを評価する基準である。
(c) 効率性とは、課題解決のために投入する資源量に対して、どの程度有効であるかという費用対効果の比率である。当然のことながら、高い有効性を誇っても、投入しなければならない資源量が大きい場合には、この基準の評価は低くなる。

評価基準はこれら以外にも考えられるとともに、(a)必要性と(b)有効性は関連している。有効性"ゼロ"のケースが、必要性がない場合と考えられるからである。また、(c)効率性は、比較に用いて意味のある基準である。複数のケースを比較して、はじめてどれが優れているかが明らかになるといえよう。

③**評価の主体**　評価の主体、すなわち誰が評価を行うか、は評価の目的によって異なっている。自己改善をめざす場合には、当然、政策立案、執行を担当する行政機関が主体である。自らの活動を自ら見直し、そこから政策の問題点とその改善策を見出していく。ただし、評価結果を公表して、社会的に再評価を受けてこそ、説明責任を果たしたことになる。

それ以外のときは、評価者は外部に置かれる。それは、外部の中立的な第三者が評価してこそ、客観的で公正な評価といいうるからである。法令適合性が目的の場合には、法律を制定し予算を付けた議会等が、国民の満足度の場合は、世論調査等に答えた国民が評価者ということができよう。

もちろん、この評価者の中立性、第三者性をいかに担保するかは、実際には難しい。すなわち、当該行政活動とは距離のある地位にいる人ほど中立的な第三者といいうるが、彼らは行政活動の実態について充分な知識を有していないことが多く、その点で的確な評価ができるかが問題となる。それゆえ、行政権の内部に、独立性の高い、中立的な評価機関を設置するという選択肢もありうる。

④**評価の対象**　前述のように、政策は、行政活動によって課題を解決する過程を示したプログラムである。その過程は、当初、予算が付与され、要員と資材が整備された段階、そしてそれらが使用され一定の行政活動が行われた段階、そして、それによって社会的な効果が生まれた段階等に区分できる。

　これらの段階のうち、どの段階を評価するかが、この評価の対象の問題である。はじめの予算が認められ、要員と資材の手当てがなされた段階は、政策の執行が可能になったというべき段階であり、これを対象として評価してもその効果は不明である。

　その次の行政活動が行われた段階は、何らかの社会への働きかけが行われた段階であり、これは通常「アウトプット」と呼ばれるレベルである。このアウトプットの評価では、どの程度の行政活動が行われたかは評価できるが、それが社会に与えた影響については考慮されていない。最後の段階の社会に対する効果が「アウトカム」と呼ばれており、このレベルで高い評価を得れば、まさに当初の目的が達成され、政策を創った効果があったと評価することができる。

　ただし、これも既述のように、アウトカムの状態は、行政活動だけが原因で発生するわけではない。他の多様な要因が関わって、アウトカムとなるのであり、それを行政活動の評価とするには、アウトプットとアウトカムの間に明確な因果関係があり、その寄与の程度が明らかにされていなければならない。

　したがって、現実には、正確なアウトカム評価を行うことは容易ではなく、そのため充分とはいえないものの、アウトプット評価で代替するか、あるいは両方を合わせて評価を行わざるをえないといえよう。

⑤**結果の表現**　評価は、評価者が、評価基準に基づき、評価対象を測定することによって行われる。その際、測定の結果はどのように表されるのであろうか。

　評価基準に従って、対象を測定するとき、対象および基準を客観的な数値指標で表すことができれば、測定は客観的であり、容易であるといえよう。しかし、社会のすべての現象が、そして行政活動が、明確に数値で表現し測

定できるわけではない。

　行政活動の結果や社会への影響を客観的な数値指標で定量的に測ることができればベストであるが、同じ数値で表されるとはいえ、意識調査のように、数値的把握自体が多様な方法に基づいて行われうるような指標もあるし、さらにどうしても数値で表現することに適しておらず、定性的な評価しかできない場合もある。

　また、複数の数値基準が存在する場合もありうる。どれを重視するかで測定値が異なってくるが、このような場合に、無理に特定の指標を使って数値化することは、逆に的確な結果の把握を困難にすることになりかねない。

⑥**結果の判定**　評価である以上、行政活動の結果については、最終的に判定することになる。ここで判定とは、評価の結果、政策が適切なものであったかどうか、充分に期待された効果をあげているか否かを判断することを意味している。

　こうした判定は、予め目標値や許容値が設定されていた場合には、その目標値を達成したか、許容値をクリアしているか否かで測定されることが多い。たとえば数値指標で100が目標値とされていたとき、結果がどの程度であるかを測定し、判定するのである。70であったら、概ね成果をあげているが、目標には達していない。95であったならば、ほぼ目標達成であろう。120であれば、充分に成果をあげているといえるが、むしろ当初の目標値の設定に問題があるとも考えられる。そして、許容値に達しないときは、当然に失敗ということになる。

　数値で測定できるとは限らないが、このように判定して、政策の効果があったと判定できるならば、許容水準を満たしていると評価し、充分に期待していた水準に達しているならば、期待水準をクリアしたと評価するのである。それを上回れば、満足水準を超えたということもできよう。

　こうした判定を、今述べたように評価するか、あるいはそれぞれの評定をA、B、C…というように行ってもよい。いずれにせよこの判定をもって、評価の作業は一応終了することになる。

⑦**評価結果の反映**　だが、評価の過程はこれで終了するわけではない。評価

の結果を次の政策過程に反映させて、はじめて評価という作業を行う意味がある。

　反映の方法としては、もちろん自己改善が目的の場合には、既存の政策の改善のための貴重な情報となろう。法令適合性の評価が目的の場合には、次年度の予算の査定や法改正の資料となりうる。国民の満足度という観点から、国民の反応を調べる場合には、それが公表され、何らかの形での政治過程にフィードバックされることによって、次の政策に反映されることになろう。

　いずれにせよ、評価は政策をよりよくしていくために使われるべきである。評価そのものの質を高め、的確かつ効率的に実施することによって、政策の質の向上に結びつけることが重要である。

第3節　日本の政策評価制度

●政策評価の現状

　わが国では、国と地方自治体において、政策評価は定着しているといえようか。国では、1997年の行政改革会議最終報告の提言をうけて、2001年に政策評価法（行政機関が行う政策の評価に関する法律）が制定された。

　評価制度導入時の認識は、それまでは法律の制定や予算の獲得に重点が置かれ、その効果やその後の社会経済情勢の変化に基づき政策を積極的に見直すといった評価機能は軽視されがちであったことに対する反省から、評価制度の導入が必要というものである。

　その後、各府省で政策評価が実施され、その方法に改善も加えられてきている。2007年には、規制に関して事前評価が導入されている。

　評価という作業はもはや定着しているといえるかもしれないが、しかし、その評価によって、政策の質が顕著に改善されたり、あるいは不要な事務が削減され、評価によって得られた知見が次の政策に反映されているかというと、その実感は必ずしもない。

　実態は、評価のために膨大な文書が作成されているにもかかわらず、目にみえるような政策への評価の反映はみられないといえよう。むしろ行政経費

のムダの削減は、評価と重複点が多い事務事業レビュー等で行われている。

そこで以下では、その問題点を検討し、わが国の政策評価の"評価"を試みることにしたい。

問題点としては、第1に、評価制度の目的が明確ではなく、評価に対する過剰期待が存在していることである。評価制度の目的については、先に述べたように、三つあると考えられる。

わが国の評価制度は、法の趣旨からして、行政機関が自ら自分たちの政策とその執行活動を評価して政策に反映させることを目的としていると解することができるが、実際には、そればかりではなく、ムダの削減や国民に対する行政サービスのあり方の評価に及んでいる。

要するに、自己評価か外部評価なのかその目的や機能が明確ではないため、評価制度の運用において、さまざまな人たちが、政策評価に対して過剰な期待を寄せ、それが政策評価自体が充分に活用されていない理由の一つと思われる。

第2に、何を評価するのか、評価の対象も明確ではないことである。実際の政策評価においては、評価書を各府省の担当課が作成するが、担当課は、自分たちの行っている行政活動が適正であるか、当初の目標をどの程度達成しているかどうかを自己評価して評価書を作成する。だが、それは上述したアウトプットの評価であって、それによって社会的課題がどの程度解決されたのかというアウトカムについては、必ずしも充分な情報はない。

たとえば、雇用の増加は、政策としての雇用増進策の効果なのか、それ以外の一般的な景気回復の効果なのかは、明らかではないのである。評価のために必要な情報は、雇用増進策が、全体としての失業率の削減にどの程度どのように寄与しているかが明らかでないかぎり、得られないといえよう。

第3に、以上のような事情もあり、必ずしも確立された政策評価の方法が存在していない。そのため、評価者の固有の方法や経験と勘による要素が多くなり、とくに外部の評価者が問題点を指摘すると、それに対する反証情報が多数提出されることになりかねない。

そのために評価に関するペーパーワークが増大するとともに、評価の判定

についても、明確に低い評価がなされることは少なく、結果として、評価の結果にメリハリがなく、政策評価そのものに対する信頼が低下しかねない状態にあると思われる。

むろん客観的な評価方法を確立することは容易ではないが、それならば、評価が困難な政策について、無理に評価を行う必要はないともいえよう。さらに評価法で定量的な把握が推奨されていることもあり、数値目標が数多く用いられているが、その中には必ずしも政策のアウトプットやアウトカムを的確に表していないものもある。

そして第4に、現在の予算制度の下での評価の場合、ある年度の事後評価の結果を翌年度の予算編成に活かすことができないことである。予算年度終了後に評価が行われることになるが、新年度の予算は、前年中に編成される。したがって、評価結果を政策に反映させようとすれば、どうしても次々年度の政策にならざるをえないのである。

事後評価である以上、これを改善することはできない。それゆえに、上述したように、事前評価を重視するとともに、政策の執行段階において評価情報をフィードバックする仕組みを作ることが望ましいといえよう。

信頼できる評価方法の開発を急ぐべきであるが、まずは評価の可能性と限界についての認識を共有することが重要である。

● 改革の方向

では、これから政策評価をどのように改革すべきか。

まず第1に、政策立案と政策評価の一体性を認識することである。すなわち、政策というプログラムの作成段階で考慮し検討すること自体が、政策の事前評価であると認識すべきである。そして、事後評価とは、そのプログラムが想定通りに作動したか否かの確認を行うことと考えるべきである。

第2に、政策評価法の上で、必ずしも明確ではないアウトカムを生み出すプログラムの評価とアウトプットに現れる行政活動の評価とを区別するとともに、政策評価の第1の目的を担当部局の自己改善のツールと位置付けるべきである。

そして第3に、数値目標については、実質的な行政活動の効果を反映した、換言すれば、アウトプットとの因果関係を有するアウトカムを重視すべきである。近年、数値目標の設定が推奨されており、それ自体は望ましいことといえるが、アウトカムに関して、行政活動との関連性も因果関係も明確でない数値指標を用いることは、政策評価の信頼性の観点からみて適切とはいえない。とくに、社会経済的情勢についての願望を投影したような数値指標は用いるべきではない。

　2021年春、政策評価法制定から20年を期に、国の政策評価のあり方について総務省の政策評価審議会において見直しが行われ、政策の改善に結びつく「役に立つ評価」、状況に応じて的確に評価を行う「しなやかな評価」、評価内容が合理的説得力をもつ「納得できる評価」という3つのフレーズで示された方向をめざす改革を「提言」として公表した。

　すでに、本書で指摘してきたように、コロナ禍によって、未知、未経験の事態に遭遇し、さまざまな新政策が立案され実施された。それらの中には、直面する課題に対処するために、急遽策定された政策もある。それらについては、しっかりと評価を行い、今後の教訓となる知見を蓄積すべきであろう。

　以上、政策評価に関して、改革の方向も含め述べてきたが、今後、厳しい財政状況を含め変化する状況下で、どのように政策を創るか、どの政策分野に資源を重点的に配分し、どの分野から引き上げるか等の判断が重要になると考えられる。その場合には、精度の高い政策評価を行うことが何よりも必要である。

第15章 行政の課題と行政学の役割

第1節 わが国が直面する課題
―――少子高齢化・人口減少・財政危機・コロナ感染症

　これまで14章にわたって、行政学の基本的なトピックについて論じてきた。最後に、わが国が直面している行政の課題と、それに応えるための行政学のあり方について展望しておきたい。

　行政の制度もその運用も、社会の一定の状態を前提にして創られている。それが大きく変わるとき、制度も、運用も、そして何よりもそれらの基盤をなす思想も抜本的に見直す必要がある。

　これまでのわが国の制度は、人口が増え、右肩上がりに発展していく社会を前提としていた。しかし、そのような時代は終わったといってよい。これからは、むしろ人口は、右肩下がりに減少していくと予想される。

　また、行政に対して指導性を高めてきた政治も、以前とは大きく変わってきている。今日の政治は、情報化の進展によって、世論に敏感に反応する一方で、それゆえに複雑な社会的課題に対して適切な政策を作成すること、とくに社会保障をはじめ国民に負担を求める政策を提示することに苦慮している。

　この最終章では、現在わが国の社会ではどのような変化が起ころうとしているのか、これからの社会に適した行政のあり方とはどのようなものか、それに対して、行政学はどのように貢献できるのか。それを、本書で用いた社会管理の視点と政治行政関係の視点から、総括しておくことにしたい。

● 人口動態——少子化と人口減少

　第1章の冒頭に述べたように、わが国では、2008年をピークとして人口が減少しはじめた（図表15－1）。この傾向は、一時的なものではなく、長期的なトレンドであり、少子化対策が効を奏しても、人口減少が止まるのは数十年先である。

　人口減少の原因は、60年以上前から生じた少子化である。わが国では、15歳未満の年少人口のピークは1954年であり、その後、第2次ベビーブームによる一時的な出生の増加がみられたものの、1954年の出生数を上回ることはなく、その後は、一貫して減少を続けている。ピーク時には、270万人近く生まれていた赤ちゃんが、2016年には100万人を切り、2020年に生まれたのは84万人である。

　他方、戦後の経済成長により医療や福祉が充実したため、高齢化が急速に進んだ。現在では、平均寿命は女性は87歳、男性も81歳を超えるに至っている。かつては、多数の子どもが生まれても、その後毎年一定数が亡くなり、

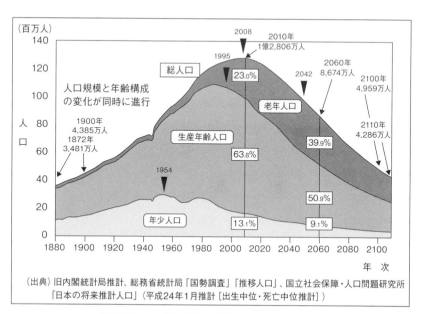

図表15－1　日本の人口推移（1880年→2110年）

第 15 章　行政の課題と行政学の役割

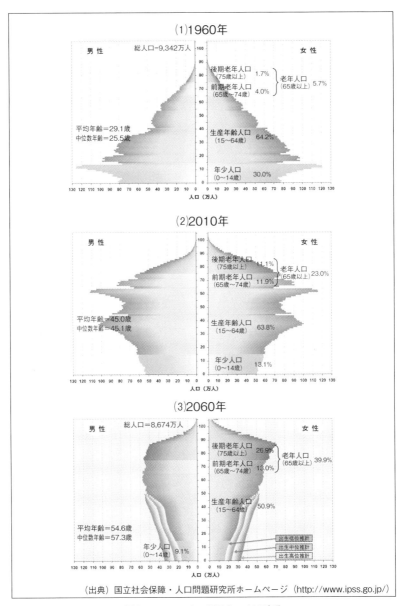

（出典）国立社会保障・人口問題研究所ホームページ（http://www.ipss.go.jp/）

図表 15 − 2　人口ピラミッドの変化

人口の年齢構成を表すグラフの形状が三角形のピラミッド型を示していた。だが、今日では、ほとんどの人が高齢になるまで生存できるようになったため、人口構成のグラフも砲弾型、ないしは少子化によって下の方が窄まった壺型になってきている（図表15－2）。

　長期にわたって少子化が進んでいたにもかかわらず、将来人口減少が起こることについて社会的にそれほど関心がもたれてこなかったのは、このような高齢化によって総人口が増え続けていたためである。2008年までは総人口は増え続け、将来少子化がもたらす課題について気づくのを遅らせたといえよう。

　しかし、これからの人口減少のトレンドは変わらない。2020年に1.36であった、一人の女性が生涯に生む子どもの数の平均である「合計特殊出生率」が上昇し、仮に親の世代と同数の子どもが生まれる2.07の水準まで上がったとしても、母親になる女性の数が減少し続けるため、少子化は止まらないのである。

　コロナ禍が、今後人口構成にどのような影響を与えるかはまだわからないが、出生数が大きく減少する可能性も否定できず、そうなれば少子化はますます加速することになろう。

　したがって、これからは、これまでの発想を変え、人口は減り社会は縮小することが避けられないという前提で、社会や経済活動のあり方を考えていかなければならない。右肩上がりの時代は終わったのであり、これからは、右肩下がりの時代に入るのである。

　したがって、「地方消滅」が意味するところは曖昧であるが、地域共同体の多くは、長期的に存続することは難しいであろうし、現状のままでは、地方自治体の行政機能の低下は避けられない。それゆえ、地方自治体の再編を含め、地域における行政サービスの提供体制について、抜本的に見直すことが必要である。

　地方創生による地域経済の活性化、それによる人口増加策も、総人口が減少する以上は、限られたパイの取り合いにほかならず、全員が勝者になることはありえない。人口という減少していく限られた資源を、全国的にどのよ

うに配分するのがわが国にとって最善か、ということを総合的な視点に立って検討すべきときである。

●高齢化と社会保障の限界

人口は、すべての地域で減少に向かうが、これから増加するのが首都圏をはじめとする都市圏の高齢者である。高度成長期に、地方から大都市部、とくに首都圏に出てきて高度成長を支えてきた「団塊の世代」の人たちが、これから多数高齢化するためである（図表15－3）。

この都市圏の高齢化は、その規模と速度において、これまでに例をみないものであり、かつ都市圏の高齢者の生活形態や居住形態、そして地域社会で

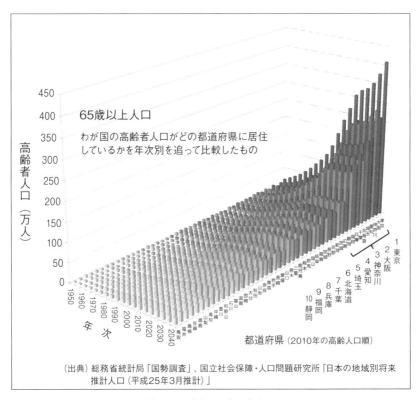

図表15－3　高齢者の都道府県分布の変化（1950年→2040年）

の役割も農村部とは異なっている。今後は、急増する都市圏の高齢者に対する社会保障が最大の政策課題になることはまちがいない。それにどのように対応するか、それを検討することは急務である。

　その課題は、第1に、医療介護サービスの確保である。増加する医療、介護のニーズに応えるために、それらの供給を増やさなくてはならないが、医師等の専門家の増員は容易ではなく、仮に増員が実現したとしても、今度は将来的に過剰になる。また、それに要する多額のコストの負担も課題である。

　制度改革を含め、限られた資源を効率的に使用して、必要とする人に必要なサービスを提供するための方法を開発しなければならない。それには、ITを活用し、ビッグデータを分析して最適解を探求しなければならない。

　第2に、少子化による生産年齢世代の減少は、今後労働力の減少、そして税や社会保険料を納める人々の減少という形で、社会保障のみならず国の財政や経済にも影響を与えるであろう。

　さらにこうした人口減少は、消費者の減少でもある。全体として規模の縮小が予想されるところで、いかにして経済を活性化し、社会の諸水準を維持できるか、ここでも従来の制度の大胆な見直しが必要とされる。

　また、生産年齢人口の減少は、わが国の雇用のあり方にも変化をもたらす。総体として労働力不足が恒常化してくると、労働市場も労働者にとって買い手市場から売り手市場に変わる。それに伴い、わが国の伝統的な終身雇用・年功序列という雇用慣行も崩壊しつつあるといえよう。

　第3に、通常、このような場合に依存する国の財政は、第9章で述べたように、すでにこれまでにない厳しい状態にある。財政赤字が累増を続ける中で、必要なニーズに応えつついかにして歳出を抑制するか。ここでも、単なる歳出の抑制よりも、まずは現行の仕組みを改革して、効率化を図ることが急務である。

　これまでは、人口が増加し経済は成長するという前提で制度が作られ、目標が立てられ、またわれわれもそれを当然と考えてきた。しかし、もはやそういう前提は成り立たない。将来推計人口は、政策の基盤となる科学的に導き出された数値である。これからは、人口の減少を前提として、社会のあり

方、制度のあり方を考えていかなければならない。社会管理としての行政に、新たな発想、新たな知恵が求められているのである。

第2節　政治行政関係の変化と政治主導

●官僚制の地盤沈下と政治主導

　以上に述べたように、前提とする環境の変化によって、これからの行政、とりわけ社会管理のための仕組みは、大規模な改革が必要である。そうした新たな発想に基づく政策決定、執行を実現するには、当然のことながら、政治の果たす役割は大きい。

　1990年以降、それまでの右肩上がりの時代に、増加するパイの配分によって有していた官僚制の影響力も、経済の低迷によるパイの縮小によって著しく低下した。それに代わって、国民の不満に耳を傾け、民意を反映していると主張した政治が主導権を握るようになった。

　政治の役割は、民主制の下、何よりも民意を政策へ反映させることであるが、低成長の時代に、不満をもった民意を汲み取ることはできても、それに応える政策をしっかりと創ることができるかどうかは、別の問題である。

　現状においては、すべての国民を満足させるような政策を創ることは不可能である。社会のある集団の不満を解消しようとするならば、そのコストを他の集団に負担をしてもらうことになるが、その集団に負担を受け容れてもらうことは至難の業である。

　しかし、それを、責任をもって行うのが本来の政治の役割のはずである。だが、多数の国民が不満をもっているときに、そして政権の座を複数の政党が競い合っているときに、選挙での評価を考えれば、どの政党もそのような政策は作りにくい。

　結果は、「低負担、高福祉」のごとき実現が不可能な政策案か、選挙で発言力をもたない集団――たとえば、まだ生まれていない未来の世代――に、負担を転嫁する政策案になってしまいがちである。あるいは、根拠のない前提に基づいて、かつての成長神話を繰り返す楽観論に陥ってしまいかねない

のである。

●思想なき政治と論理なき政策
　イデオロギーを多数の人々が信奉し、明確な思想に基づいて社会のあり方が論じられたかつての時代には、そうした基底にある思想から、さまざまな具体的政策が論理的に導き出されたといえよう。
　たとえば、社会主義思想からは、労働者を含む社会的弱者の利益のために、経営者に負担を求める政策が導かれ、社会主義の実現をめざす政党は、そのような政策を掲げて選挙を戦った。他方、自由主義を掲げる政党は、経済の自由、小さな政府と競争が社会の発展をもたらすと主張し、減税や社会保障の抑制を公約として掲げた。
　だが、冷戦時代が終結し、イデオロギーや思想の存在価値が低下して以来、そのようなしっかりとした立場に立脚した思想の表明や政策提言はみられなくなった。その結果、思想なき時代の政策は体系性を失い、社会システムをどのように制御しようとするのか、明確ではないものが多くなった。国民の不満や要望には何でも応えようとする傾向がみられるようになったといっても過言ではないだろう。それは、SNS等の情報手段が普及し、多様な民意が容易に社会に発信され、伝達されるようになってからとくに著しい。
　こうした時代にあって、ポピュリズムに陥ることなく、批判対象としての悪者を安易に創ることなく、国民に社会の現状を率直に説明して理解を求め、客観的データに基づいて国民に受け容れてもらえるような政策を国民に提示することが必要であるが、それは容易ではない。しかし、それを行うことに政治の主導性が発揮されるべきであり、そのような政治のあり方を期待したい。
　政治行政関係の視点からみたとき、第5章で述べたように、政治主導は、民主主義という観点からは、政策に民意をよりよく反映できる点で望ましいが、そのことは直ちに民意を的確にリードし、実現可能な政策を作ることができる、ということを意味しない。
　今日のように複雑な社会においては、的確に社会管理を行うことができる

ような、客観的な根拠に基づく政策の立案は、行政機関にその役割を期待しなくてはならないだろう。そのように考えるならば、そこには、政治と行政の調和のとれた協力関係が期待されるのであり、そうだとするならば、行政は政治の支持を得られる実現可能な政策を立案し、政治はそれを決定し、行政がそれに基づいて的確に社会管理を行うように努めなければならない、ということになるであろう。

第3節　これからの行政学──ダウンサイジングによる効率化

●行政学への期待と可能性

これまで述べてきたように、わが国の社会では大きな環境の変化が起こりつつある。こうした状況において、わが国の政府は、どのように対処すべきか。既存のラインを貫くべきか、それとも方向転換をすべきなのか。コロナ禍を経験した今、既存のラインを貫くことはありえない。方向転換を図らなければならないとして、それでは、今後どのような方向に向かうべきなのか。

こうした課題の解決に、行政学はどのように貢献することができるのであろうか。また、これから行政学はどのような課題に取り組んでいくべきなのか。これは非常に大きな問題である。最後に、これからの行政学を構築する上での社会の捉え方および政策形成に当たってとるべき視点について、ガバナンス、ダウンサイジングというキーワードを手掛かりに述べておくことにしたい。

●ガバナンス

近年、社会科学において「ガバナンス」（governance）ということばはほぼ定着したといってよいだろう。ただ、その意味するところは必ずしも明確ではなく、論者によっても異なるが、それが、これまでの政府（ガバメント）による一元的な権力的統治に代わる、新たな社会秩序形成のあり方を示していることはまちがいない。その新たな社会秩序形成のあり方とは、一言でいえば、自律的な多数の主体が相互に協調し、多元的な調整を行うことによっ

て安定した社会秩序を作り上げるというものである。

このような発想が生まれた背景には、まず、巨大な行政国家がもはや社会問題の解決に適した仕組みとはいえず、政府が、国際化をはじめとする社会の広がりや変化の中で、次第に社会システムの制御能力を喪失しつつあるという認識がある。そこから、政府に代わる制御の仕組みとして、市場メカニズムの活用やNGO等の役割が強調されるようになってきたのである。

このような発想の特徴としては、次のような点を挙げることができよう。

第1に、社会における一定の秩序の形成・維持は、自律的な主体間の相互調整に委ねられることである。そこでは、競争が行われ、競争によって社会の活力が生み出されることが期待されているが、それはむき出しの自己利益を追求する競争ではない。それぞれの主体の自律的な行動がもたらす協調を前提とした競争である。

第2に、そのような社会における主体の自律性と自立性が高く評価され、全体の発展のために自己の欲求を抑制し、自己の行動を制御できる主体像が前提とされていることである。これは自立し公共精神をもった市民はもちろん、社会全体のために自らを律することができる企業等の団体に期待される姿でもある。

第3に、公共性の意味の変化である。従来は、政府等の公的機関が関わる領域である「公」と、それ以外の「私」の領域が明確に区別され、それぞれに異なる原理が適用されることを前提として議論がなされてきた。だが、第3章で述べたように、その区別は相対化されていく。公的領域から私的領域へは連続的に変化していくべきであり、それを「共」と呼ぶか否かはともかく、両者の中間に位置する領域も広く存在している。そこは公共的な領域でありながらも、必ずしも政府の関与は存在していない。

1990年代からの行政改革や規制緩和の動きの背景には、住民投票等にみられる参加の推奨にせよ、情報公開による政府の透明化にせよ、また政策評価の奨励にせよ、このようなガバナンスという発想が存在している。

だが、その方向へ向かう努力はすべきであるとしても、無原則にこのような予定調和の世界を期待し、そのような社会の実現を楽観視することは禁物

であろう。それが成立するには、内にある公共性をもった自律的な市民と協調による協力の存在が不可欠だからである。しかし、それをつねに期待することは可能であろうか。

このことを改めて知らされたのが、2020年のコロナ禍である。感染症対策は、人から人への感染を防ぎ、多くの国民の生命と健康を守る活動である。歴史的には、"公権力"を行使して、人々の行動を規制し、感染を防がなければならないケースと考えられてきた。

しかし、人々の行動を規制することは、行動の自由を制限することであり、基本的な人権を制約することにほかならない。また、当然のことながら、そうした行動の規制は経済活動を制限し、人々の生活にネガティブな影響を与える。

こうしたジレンマの中で、最適の対策をどのように立案し実行することができるか。自律的な国民の自主的な行動とそれらが形成する予定調和的な調整に期待することができるであろうか。

そこに、公権力の主体として国家の役割を想起するならば、それは民主主義とどのように両立するのか。第10章で触れたように、最新のITを活用すれば、感染者の位置を追跡でき、それは社会全体として感染のリスクを軽減することに貢献するだろう。しかし、国民の位置情報を政府が常時把握することは許されるのか。それが、国民の権利や自由を侵害する可能性を否定できないとすれば、どこまで許されるのか。

民主主義的制約のない独裁国家では、効率的な社会管理のツールとして活用することができたとしても、民主主義国家でそれを行うことには制約があろう。その両立をどのように達成することができるのか。それは正にコロナ禍で顕在化した重要な"ガバナンス"の問題である。

したがって、これからは、かつてのように、それまで獲得してきたものを維持しつつ、新たに何かを獲得することで課題を解決していくことは期待しがたい。むしろ配分できるパイが縮小する中で、それを分け合う状態、別のいい方をすれば、誰かが我慢をしてパイの削減を受け容れなければならないという状態が訪れるであろう。

そのようなケースでは、当然、当事者間で厳しい対立が生じる可能性が高く、自発的な調整は容易ではない。そこには、一定の強力な調整機能および決定機能の存在が必要であり、それこそは、やはり行政の役割といえよう。

●ダウンサイジング
　それでは、そのような強力な調整者としての行政は、縮小しつつあるパイの配分をどのように行うべきなのか。それに行政学はどのように貢献できるのか。
　これは多様な利害関係者の間で、限られた資源をいかに配分するのが合理的か、それをどのように決めるのが望ましいかという問題である。従来の状態が「加算」であるとするならば、これから訪れる状態で「減算」をうまく行う方法は何かということである。
　これに関しては、第12章の合理的な政策決定モデルのところで述べたように、採りうる可能性について調査し、それぞれの選択肢の結果を可能なかぎり正確に予測し、それに基づいて効果を最大化する選択肢を選ぶことが望ましい。
　現実にそれを行うには、社会事象や国民の選好や行動についての詳細なデータを収集し、その分析に基づいてできるだけ正確に予測を行うことが必要である。換言すれば、その時点で可能なかぎり科学的な知見に基づいて、関係者が受け容れることのできるファクトを示し、それをベースに議論をすべきであろう。それには、第10章で述べたように、情報技術を用いたビッグデータを活用すべきである。
　ただし、実際には、完全なデータの収集は困難であり、限られたデータに基づいて議論を進めざるをえないが、誰しも以前より配分を減らされ、行動を制約されることは受け容れがたいので、彼らの多くは、多様な方法を用いて自己の要求を正当化する発言をし、抵抗する。そのような多元的な要求や主張、抵抗が行われる過程をうまく制御することこそ「管理」であり、行政学が長年にわたって研究を蓄積してきた分野である。
　ここから、議論の場の設定から、審議の手続、最終的な決定の方法に至る

一連の過程についての適切な管理手法と、そのための客観性をもったエビデンス（根拠）の作成方法の研究開発が、行政学が今後注力すべき課題の一つであるといえよう。

　こうした過程で考慮すべきは、すべてを従来のように維持することができない以上、いたずらに競争して生き残りを図ることは全体として非生産的である。むしろ明確な根拠に基づき、全体の視点から、どの部分から撤退し、どこに投資をするか、そうした発想で適正規模の維持を図ることである。

　いいかえれば、人口が減少し、共同体の規模が縮小に向かうとき、いかに過剰な部分を切り捨て身軽になり、残った部分の質を高めていくかという発想をすることである。とかく縮小はネガティブなイメージで捉えられがちであるが、これからは従来のような状態を維持することができないことはまちがいない。

　投資の対象に優先順位を定め、メリハリのついた決定をしなければならない。それによって、身軽で持続可能な将来の姿を描くことが重要であり、説得力ある根拠に基づいてそのような姿を描くために、客観的なデータに基づく科学的知見を活かすべきである。

　もちろんこうした将来像への接近は、長期的にその影響を確認しつつ行わなくてはならない。まさに、第12章で述べた計画という手法が活用されるべき場合である。

　現在、社会の変化は、われわれが感じているよりもはるかに早い。それに付いていくことも容易ではないが、その変わりつつある現実を踏まえた行政学の研究の速度は、さらにそれよりも遅い。しかも、社会の変化は、行政学の射程を超えてはるかに広く拡大している。

　このような時代にあって、行政学が果たすべき役割は、現行の制度を与件として実態の分析を行うのではなく、制度自体を変数として、変化しつつある社会を観察し、その性質と変化の方向を明らかにすることであり、それに加えて、望ましい政策の立案と制度の設計のための指針を社会に提示することであるといえよう。

参考文献

第 1 章 「行政」とは何か？——現代国家における行政活動

●まずは、読むべきもの

伊藤正次・出雲明子・手塚洋輔『はじめての行政学』（有斐閣、2016 年）

西尾勝『行政の活動』（有斐閣、2000 年）

村松岐夫『日本の行政』（中央公論社、1994 年）

●さらに学ぶときに、読むべきもの

今村都南雄・真山達志・武藤博己・武智秀之『ホーンブック行政学 改訂版』（北樹出版、1999 年）

金井利之『行政学講義』（筑摩書房、2018 年）

金井利之『行政学概説』（放送大学教育振興会、2020 年）

新藤宗幸『講義 現代日本の行政』（東京大学出版会、2001 年）

曽我謙悟『行政学』（有斐閣、2013 年）

武智秀之『行政学』（中央大学出版部、2021 年）

西岡晋・廣川嘉裕編著『行政学』（文眞堂、2021 年）

西尾勝『行政学 新版』（有斐閣、2001 年）

原田久『行政学』（法律文化社、2016 年）

真渕勝『行政学［新版］』（有斐閣、2020 年）

村松岐夫『行政学教科書 第 2 版』（有斐閣、2001 年）

第 2 章 行政国家の成立

●まずは、読むべきもの

西尾勝『行政学の基礎概念』（東京大学出版会、1990 年）

森田朗編『行政学の基礎』（岩波書店、1998 年）

●さらに学ぶときに、読むべきもの

今村都南雄『行政学の基礎理論』（三嶺書房、1997 年）

片岡寛光『国民と行政』(早稲田大学出版部、1990年)
片岡寛光『行政の構造』(早稲田大学出版部、1992年)
ワルドー，D.『行政国家』(九州大学出版会、1986年)

第3章　行政学の発展

●まずは、読むべきもの

今里滋『アメリカ行政の理論と実践』(九州大学出版会、2000年)
オズボーン，D.＝ゲーブラー，T.『行政革命』(日本能率協会マネジメントセンター、1994年)
フッド，C『行政活動の理論』(岩波書店、2000年)

●さらに学ぶときに、読むべきもの

縣公一郎・稲継裕昭編『オーラルヒストリー日本の行政学』(勁草書房、2020年)
飯尾潤『民営化の政治過程』(東京大学出版会、1993年)
今村都南雄編著『民営化の効果と現実 NTTとJR』(中央法規出版、1997年)
クールマン，S.＝ヘルムート，W.『比較行政学入門』(成文堂、2021年)
千草孝雄『アメリカの地方自治研究』(志學社、2013年)
南京兌『民営化の取引費用政治学』(慈学社出版、2009年)
西山隆行『アメリカ型福祉国家と都市政治』(東京大学出版会、2008年)
バーナム，J＝パイパー，R.『イギリスの行政改革』(ミネルヴァ書房、2010年)
原田久『NPM時代の組織と人事』(信山社出版、2005年)
平田美和子『アメリカ都市政治の展開』(勁草書房、2001年)
深谷健『規制緩和と市場構造の変化』(日本評論社、2012年)
フレデリクソン，H.G.『新しい行政学』(中央大学出版部、1987年)
堀雅晴『現代行政学とガバナンス研究』(東信堂、2017年)
村松岐夫編著『公務改革の突破口』(東洋経済新報社、2008年)

第 4 章　現代の政府体系

●まずは、読むべきもの
川人貞史『議院内閣制』（東京大学出版会、2015 年）
辻陽『日本の地方議会』（中央公論新社、2019 年）
待鳥聡史『代議制民主主義』（中央公論新社、2015 年）

●さらに学ぶときに、読むべきもの
秋月謙吾『行政・地方自治』（東京大学出版会、2001 年）
秋月謙吾・南京兌編『地方分権の国際比較』（慈学社出版、2016 年）
秋月謙吾・城戸英樹木編『政府間関係の多国間比較』（慈学社出版、2021 年）
出雲明子『公務員制度改革と政治主導』（東海大学出版部、2014 年）
礒崎初仁『知事と権力』（東信堂、2017 年）
岩崎美紀子『分権と連邦制』（ぎょうせい、1998 年）
大森彌・佐藤誠三郎編『日本の地方政府』（東京大学出版会、1986 年）
大山礼子『比較議会政治論』（岩波書店、2003 年）
佐野亘・山谷清志監修『これからの公共政策学 2 政策と行政』（ミネルヴァ書房、2021 年）
城山英明『国際行政の構造』（東京大学出版会、1997 年）
城山英明『国際行政論』（有斐閣、2013 年）
新藤宗幸『行政責任を考える』（東京大学出版会、2019 年）
砂原庸介『地方政府の民主主義』（有斐閣、2011 年）
曽我謙悟・待鳥聡史『日本の地方政治』（名古屋大学出版会、2007 年）
手塚洋輔『戦後行政の構造とディレンマ』（藤原書店、2010 年）
原田徹『EU における政策過程と行政官僚制』（晃洋書房、2018 年）
待鳥聡史『首相政治の制度分析』（千倉書房、2012 年）
山谷清秀『公共部門のガバナンスとオンブズマン』（晃洋書房、2017 年）
ルイス，D.『大統領任命の政治学』（ミネルヴァ書房、2009 年）
レイプハルト，A.『民主主義対民主主義　第 2 版』（勁草書房、2014 年）

第 5 章　内閣制度と国地方関係

●まずは、読むべきもの

飯尾潤『日本の統治構造』（中央公論新社、2007 年）

曽我謙悟『日本の地方政府』（中央公論新社、2017 年）

西尾勝『地方分権改革』（東京大学出版会、2007 年）

●さらに学ぶときに、読むべきもの

礒崎初仁・金井利之・伊藤正次『ホーンブック地方自治 新版』（北樹出版、2020 年）

市川喜崇『日本の中央−地方関係』（法律文化社、2012 年）

内山融『小泉政権』（中央公論新社、2007 年）

大杉覚『コミュニティ自治の未来図』（ぎょうせい、2021 年）

大田弘子『経済財政諮問会議の戦い』（東洋経済新報社、2006 年）

大谷基道『東京事務所の政治学』（勁草書房、2019 年）

岡本全勝『新地方自治入門』（時事通信社、2003 年）

金井利之『自治制度』（東京大学出版会、2007 年）

上川龍之進『小泉改革の政治学』（東洋経済新報社、2010 年）

木寺元『地方分権改革の政治学』（有斐閣、2012 年）

木村俊介『グローバル化時代の広域連携』（第一法規、2017 年）

小林悠太『分散化時代の政策調整内閣府構想の展開と転回』（大阪大学出版会、2021 年）

嶋田博子『政治主導下の官僚の中立性』（慈学社出版、2020 年）

清水真人『財務省と政治』（中央公論新社、2015 年）

ジョンソン, C.『通産省と日本の奇跡』（勁草書房、2018 年）

新藤宗幸『政治主導』（筑摩書房、2012 年）

曽我謙悟『現代日本の官僚制』（東京大学出版会、2016 年）

竹中平蔵『構造改革の真実』（日本経済新聞社、2006 年）

辻清明『日本の地方自治』（岩波書店、1976 年）

野田遊『自治のどこに問題があるのか』（日本経済評論社、2021 年）

日高昭夫『基礎的自治体と町内会自治会』（春風社、2018 年）

牧原出『権力移行』（NHK 出版、2013 年）

箕輪允智『経時と堆積の自治』（吉田書店、2019 年）

宮脇淳『創造的政策としての地方分権』（岩波書店、2010 年）
村松岐夫『戦後日本の官僚制』（東洋経済新報社、1981 年）
村松岐夫『地方自治』（東京大学出版会、1988 年）
村松岐夫『政官スクラム型リーダーシップの崩壊』（東洋経済新報社、2010 年）
村松岐夫『政と官の五十年』（第一法規、2019 年）
森田朗編『アジアの地方制度』（東京大学出版会、1998 年）
森田朗『制度設計の行政学』（慈学社出版、2007 年）
山口二郎『内閣制度』（東京大学出版会、2007 年）
リード，S.『日本の政府間関係』（木鐸社、1990 年）

第 6 章　官僚制

●まずは、読むべきもの
ウェーバー，M.『支配の社会学Ⅰ』『同・Ⅱ』（創文社、1960 年、1962 年）
辻清明『日本官僚制の研究〔新版〕』（東京大学出版会、1969 年）
真渕勝『官僚』（東京大学出版会、2010 年）

●さらに学ぶときに、読むべきもの
井出嘉憲『日本官僚制と行政文化』（東京大学出版会、1982 年）
伊藤大一『現代日本官僚制の分析』（東京大学出版会、1980 年）
カウフマン，H.『官僚はなぜ規制したがるのか』（勁草書房、2015 年）
テイラー，F.W.『科学的管理法の諸原理』（晃洋書房、2009 年）
野口雅弘『官僚制批判の論理と心理－デモクラシーの友と敵』（中央公論新社、2011 年）
マートン，R.K.『社会理論と社会構造』（みすず書房、1961 年）
マグレガー，D.『企業の人間的側面』（産業能率短期大学、1970 年）
レスリスバーガー，F.J.『経営と勤労意欲』（ダイヤモンド社、1965 年）

第 7 章　現代組織論

●まずは、読むべきもの
サイモン，H.A.＝スミスバーグ，D.W.＝トンプソン，V.A.『組織と管理の基礎理論』
　　（ダイヤモンド社、1977 年）

サイモン，H.A.『新版経営行動』(ダイヤモンド社、2009年)
バーナード，C.I.『新訳経営者の役割』(ダイヤモンド社、1968年)

●さらに学ぶときに、読むべきもの
伊藤正次編著『多機関連携の行政学』(有斐閣、2019年)
今村都南雄『組織と行政』(東京大学出版会、1978年)
加藤淳子『税制改革と官僚制』(東京大学出版会、1997年)
桑田耕太郎・田尾雅夫『組織論 補訂版』(有斐閣、2010年)
曽我謙悟『ゲームとしての官僚制』(東京大学出版会、2005年)
ダウンズ，A.『官僚制の解剖』(サイマル出版会、1975年)
田尾雅夫『現代組織論』(勁草書房、2012年)
田尾雅夫『公共マネジメント』(有斐閣、2015年)
沼上幹『組織デザイン』(日本経済新聞社、2004年)
橋本信之『サイモン理論と日本の行政』(関西学院大学出版会、2005年)
廣瀬克哉『官僚と軍人』(岩波書店、1989年)
増島俊之『行政管理の視点』(良書普及会、1981年)
マーチ，J.G.＝サイモン，H.A.『オーガニゼーションズ 第2版』(ダイヤモンド社、2014年)
ミルグロム，P.＝ロバーツ，J.『組織の経済学』(NTT出版、1997年)
森脇俊雅『集団・組織』(東京大学出版会、2000年)
ロバーツ，J.『現代企業の組織デザイン』(NTT出版、2005年)

第8章　日本の行政組織

●まずは、読むべきもの
今村都南雄『官庁セクショナリズム』(東京大学出版会、2006年)
城山英明・鈴木寛・細野助博編著『中央省庁の政策形成過程―日本官僚制の解剖―』(中央大学出版部、1999年)
城山英明・細野助博編著『続・中央省庁の政策形成過程―その持続と変容―』(中央大学出版部、2002年)

●さらに学ぶときに、読むべきもの
青木栄一編著『文部科学省の解剖』(東信堂、2019年)
青木栄一『文部科学省』(中央公論新社、2021年)
伊藤正次『日本型行政委員会制度の形成』(東京大学出版会、2003年)
稲垣浩『戦後地方自治と組織編成』(吉田書店、2015年)
入江容子『自治体組織の多元的分析』(晃洋書房、2020年)
大山礼子『日本の国会——審議する立法府へ』(岩波書店、2011年)
河合晃一『政治権力と行政組織』(勁草書房、2019年)
田中一昭・岡田彰編著『中央省庁改革』(日本評論社、2000年)
谷本有美子『「地方自治の責任部局」の研究』(公人の友社、2019年)
田丸大『法案作成と省庁官僚制』(信山社出版、2000年)
辻中豊編『政治変動期の圧力団体』(有斐閣、2016年)
西山慶司『公共サービスの外部化と「独立行政法人」制度』(晃洋書房、2019年)
牧原出『行政改革と調整のシステム』(東京大学出版会、2009年)
牧原出『崩れる政治を立て直す』(講談社、2018年)
待鳥聡史『政治改革再考』(新潮社、2020年)
村松岐夫・伊藤光利・辻中豊『戦後日本の圧力団体』(東洋経済新報社、1986年)
毛桂榮『日本の行政改革』(青木書店、1997年)

第9章　人事管理と財務管理

●まずは、読むべきもの
稲継裕昭『日本の官僚人事システム』(東洋経済新報社、1996年)
大森彌『官のシステム』(東京大学出版会、2006年)
田中秀明『日本の財政』(中央公論新社、2013年)

●さらに学ぶときに、読むべきもの
ウィルダフスキー, A.『予算編成の政治学』(勁草書房、1972年)
大谷基道・河合晃一編著『現代日本の公務員人事』(第一法規、2019年)
岡田彰『現代日本官僚制の成立』(法政大学出版局、1994年)
小田勇樹『国家公務員の中途採用』(慶応義塾大学出版会、2019年)

片岡寛光『職業としての公務員』(早稲田大学出版部、1998 年)
金井利之『財政調整の一般理論』(東京大学出版会、1999 年)
川手摂『戦後日本の公務員制度史』(岩波書店、2005 年)
上林陽治『非正規公務員』(日本評論社、2012 年)
上林陽治『非正規公務員の現在』(日本評論社、2015 年)
上林陽治『非正規公務員のリアル』(日本評論社、2021 年)
喜多見富太郎『地方自治護送船団』(慈学社出版、2010 年)
北村亘『地方財政の行政学的分析』(有斐閣、2009 年)
キャンベル，J.C.『自民党政権の予算編成』(勁草書房、2014 年)
小林慶一郎編著『財政破綻後』(日本経済新聞出版社、2018 年)
坂本勝『公務員制度の研究』(法律文化社、2006 年)
清水唯一朗『政党と官僚の近代』(藤原書店、2007 年)
清水唯一朗『近代日本の官僚』(中央公論新社、2013 年)
田中秀明『財政規律と予算制度改革』(日本評論社、2011 年)
中野雅至『天下りの研究』(明石書店、2009 年)
西尾隆『公務員制』(東京大学出版会、2018 年)
西村美香『日本の公務員給与政策』(東京大学出版会、1999 年)
林嶺那『学歴・試験・平等』(東京大学出版会、2020 年)
藤田由紀子『公務員制度と専門性』(専修大学出版局、2008 年)
前田健太郎『市民を雇わない国家』(東京大学出版会、2014 年)
牧原出『内閣政治と「大蔵省支配」』(中央公論社、2003 年)
真渕勝『大蔵省統制の政治経済学』(中央公論社、1994 年)
真渕勝『大蔵省はなぜ追いつめられたのか』(中央公論新社、1997 年)
水谷三公『官僚の風貌』(中央公論新社、2013 年)
村松岐夫編著『最新 公務員制度改革』(学陽書房、2012 年)
山口二郎『大蔵官僚支配の終焉』(岩波書店、1987 年)
笠京子『官僚制改革の条件』(勁草書房、2017 年)
若林悠『日本気象行政史の研究』(東京大学出版会、2019 年)
渡辺恵子『国立大学職員の人事システム』(東信堂、2018 年)

第 10 章　行政と情報技術（IT）

●まずは、読むべきもの
森田朗監修『新社会基盤マイナンバーの全貌』（日経 BP 社、2015 年）
羅芝賢『番号を創る権力』（東京大学出版会、2019 年）

●さらに学ぶときに、読むべきもの
稲継裕昭編著『シビックテック ICT を使って地域課題を自分たちで解決する』（勁草書房、2018 年）
ニューサム，G.＝ディッキー，L.『未来政府』（東洋経済新報社、2016 年）
ファウンティン，J.E.『仮想国家の建設』（一藝社、2005 年）

第 11 章　行政活動と政策

●まずは、読むべきもの
秋吉貴雄『入門　公共政策学』（中央公論新社、2017 年）
秋吉貴雄・伊藤修一郎・北山俊哉『公共政策学の基礎　第 3 版』（有斐閣、2020 年）
森田朗・金井利之編著『政策変容と制度設計』（ミネルヴァ書房、2012 年）

●さらに学ぶときに、読むべきもの
秋吉貴雄『公共政策の変容と政策科学』（有斐閣、2007 年）
魚住弘久『公企業の成立と展開』（岩波書店、2009 年）
打越綾子『自治体における企画と調整』（日本評論社、2004 年）
打越綾子『日本の動物政策』（ナカニシヤ出版、2016 年）
金井利之『実践自治体行政学』（第一法規、2010 年）
北川雄也『障害者福祉の政策学』（晃洋書房、2018 年）
北原鉄也『現代日本の都市計画』（成文堂、1998 年）
北山俊哉『福祉国家の制度発展と地方政府』（有斐閣、2011 年）
金貝『現代中国の医療行政』（東京大学出版会、2017 年）
久米郁男『日本型労使関係の成功』（有斐閣、1998 年）
小林大祐『ドイツ都市交通行政の構造』（晃洋書房、2017 年）
城山英明『科学技術と政治』（ミネルヴァ書房、2018 年）

申龍徹『都市公園政策形成史』（法政大学出版局、2004 年）
宗前清貞『日本医療の近代史』（ミネルヴァ書房、2020 年）
武智秀之『行政過程の制度分析』（中央大学出版部、1996 年）
武智秀之『政策学講義 第 2 版』（中央大学出版部、2017 年）
田辺国昭・岡田徹太郎・泉田信行監修『日本の居住保障』（慶応義塾大学出版会、2021 年）
西尾隆『日本森林行政史の研究』（東京大学出版会、1988 年）
早川有紀『環境リスク規制の比較政治学』（ミネルヴァ書房、2018 年）
林昌宏『地方分権化と不確実性』（吉田書店、2020 年）
松下圭一『政策型思考と政治』（東京大学出版会、1991 年）
マヨーネ，G.『政策過程論の視座』（三嶺書房、1998 年）
武藤博己『イギリス道路行政史』（東京大学出版会、1995 年）
村上祐介『教育行政の政治学』（木鐸社、2011 年）
横山文野『戦後日本の女性政策』（勁草書房、2002 年）
寄本勝美『政策の形成と市民』（有斐閣、1998 年）

第 12 章　政策の決定

●まずは、読むべきもの

伊藤修一郎『自治体政策過程の動態』（慶應義塾大学出版会、2002 年）
中島誠『立法学―序論・立法過程論― 第 4 版』（法律文化社、2020 年）
森田朗『会議の政治学』『同・Ⅱ』『同・Ⅲ』（慈学社出版、2006 年、2015 年、2016 年）

●さらに学ぶときに、読むべきもの

アリソン，G.＝ゼリコウ，F.『決定の本質 キューバ・ミサイル危機の分析　第 2 版』（日経 BP 社、2016 年）
礒崎初仁『自治体政策法務講義　改訂版』（第一法規、2018 年）
伊藤修一郎『自治体発の政策革新』（木鐸社、2006 年）
金井利之編著『縮減社会の合意形成』（第一法規、2019 年）
京俊介『著作権法改正の政治学』（木鐸社、2011 年）
金今善『自治体行政における紛争管理』（ユニオンプレス、2016 年）
佐藤満『厚生労働省の政策過程分析』（慈学社出版、2014 年）

西村弥『行政改革と議題設定』（敬文堂、2010 年）
原田久『広範囲応答型の官僚制』（信山社、2011 年）
御厨貴『政策の総合と権力』（東京大学出版会、1996 年）
武藤博己『道路行政』（東京大学出版会、2008 年）
リンドブロム, C.E.＝ウッドハウス, E.J.『政策形成の過程』（東京大学出版会、2004 年）

第 13 章　政策の執行

●まずは、読むべきもの
伊藤修一郎『政策実施の組織とガバナンス』（東京大学出版会、2020 年）
森田朗『許認可行政と官僚制』（岩波書店、1988 年）
リプスキー, M.『行政サービスのディレンマ』（木鐸社、1986 年）

●さらに学ぶときに、読むべきもの
内海麻利『決定の正当化技術』（法律文化社、2021 年）
大橋洋一『行政規則の法理と実態』（有斐閣、1989 年）
大橋洋一『行政法学の構造的変革』（有斐閣、1996 年）
大橋洋一編著『政策実施』（ミネルヴァ書房、2010 年）
大山耕輔『行政指導の政治経済学』（有斐閣、1996 年）
北村喜宣『行政執行過程と自治体』（日本評論社、1997 年）
北村喜宣編著『ポスト分権改革の条例法務 自治体現場は変わったか』（ぎょうせい、2003 年）
北村喜宣・山口道昭・出石稔・礒崎初仁編『自治体政策法務』（有斐閣、2011 年）
新藤宗幸『行政指導－官庁と業界のあいだ』（岩波書店、1992 年）
畠山弘文『官僚制支配の日常構造』（三一書房、1989 年）
平田彩子『行政法の実施過程』（木鐸社、2009 年）
平田彩子『自治体現場の法適用』（東京大学出版会、2017 年）
藤井誠一郎『ごみ収集という仕事』（コモンズ、2018 年）
真山達志編著『政策実施の理論と実像』（ミネルヴァ書房、2016 年）
村上裕一『技術基準と官僚制』（岩波書店、2016 年）
山谷清志・藤井誠一郎編著『地域を支えるエッセンシャル・ワーク』（ぎょうせい、2021 年）

第 14 章　政策の評価

●まずは、読むべきもの
田中啓『自治体評価の戦略』（東洋経済新報社、2014 年）
西出順郎『政策はなぜ検証できないのか』（勁草書房、2020 年）
山谷清志『政策評価』（ミネルヴァ書房、2011 年）

●さらに学ぶときに、読むべきもの
窪田好男『日本型政策評価としての事務事業評価』（日本評論社、2005 年）
熊坂伸子『NPM と政策評価』（ぎょうせい、2006 年）
南島和久『政策評価の行政学』（晃洋書房、2020 年）
橋本圭多『公共部門における評価と統制』（晃洋書房、2017 年）
益田直子『アメリカ行政活動検査院』（木鐸社、2010 年）
柳至『不利益分配の政治学』（有斐閣、2019 年）
山谷清志『政策評価の実践とその課題』（萌書房、2006 年）
山谷清志編著『公共部門の評価と管理』（晃洋書房、2010 年）

第 15 章　行政の課題と行政学の役割

●まずは、読むべきもの
ベビア，M.『ガバナンスとは何か』（NTT 出版、2013 年）
増田寛也『地方消滅』（中央公論新社、2014 年）

●さらに学ぶときに、読むべきもの
縣公一郎・藤井浩司編『ダイバーシティ時代の行政学』（早稲田大学出版部、2016 年）
大山耕輔『公共ガバナンス』（ミネルヴァ書房、2010 年）
城山英明編著『グローバル保健ガバナンス』（東信堂、2020 年）
金井利之『コロナ対策禍の国と自治体』（筑摩書房、2021 年）
竹中治堅『コロナ危機の政治』（中央公論新社、2020 年）
ケトル，ドナルド『なぜ政府は動けないのか』（勁草書房、2011 年）
ゴールドスミス，S. ＝エッガース，W.D.『ネットワークによるガバナンス』（学陽書房、2006 年）

あ と が き

　本書の初版は、「まえがき」に書いたように、以前、放送大学の授業のために出版した教科書『現代の行政』(1995年)、『改訂版 現代の行政』(2000年)を『新版 現代の行政』として書き改めたものである。この教科書も出版してから、早4年経った。その間、わが国の社会の変化も大きかったが、何よりも2020年に発生した新型コロナウイルス感染症が社会にもたらした変化は未曽有のものであった。それは、社会に大きな衝撃を与えただけではなく、感染症への対応において、行政のあり方にも課題を突きつけた。

　おそらくこれから検証が進むにつれて、行政学の理論にも新たな知見が付け加えられるであろう。本来ならば、それをまって改訂すべきであるが、それではいつになるかわからない。

　そこで、初版を踏襲しつつ、コロナ禍によって発生した事象やそれへの行政機関の対応について、現時点でわかること、いえることを抽出して、初版に書き加えたのが今回の改訂である。今後、このコロナ禍における行政学の総括が行われたのちに、改めて改訂したいと考えている。

　今回も、改訂に当たって東京都立大学の松井望教授に、内容の確認や文献リストの作成等において大変お世話になった。ここで御礼を申しあげておきたい。松井教授のお勧めがなければ、そもそも初版は誕生しなかったのであり、この第2版も存在しなかったといえよう。

　第2版は、コロナ禍で続くテレワーク生活の合間をぬって執筆した。時間はたっぷりとあったので、前回と異なり、締切りの前に原稿を提出できたが、単調な在宅での生活のため緊張感に欠け、それが本書の記述に表れていないことを祈っている。

　コロナ禍は、まだ収束に向かわず不安が拭えないが、社会はその間もどんどん変わっていく。とくにデジタル化(ＤＸ＝デジタル・トランスフォーメーション)は、以前と全く異なる社会を作り出すといえよう。オンラインでのコミュニケーションは日常化したし、会議の形態もＷｅｂ会議が普及した。

行政分野におけるデジタル化は、まだ後れているが、デジタル庁の活躍に期待したい。

　筆者としては、本書が最近の研究動向を充分に反映しているか、また、将来が不透明な現代にあって現実の行政の理解に役立たないのではないか、等不安がないではないが、このような時代であるがゆえに、少しでも現実の行政の理解を助け、将来の展望を描く手がかりとなりうるような書物であることを望んでいる。

　今回も、改訂に当たっては、第一法規の木村文男さん、石川智美さんに大変お世話になった。ここで重ねて御礼を申しあげたい。

2022年1月
　コロナ禍の下、テレワーク中の自宅の書斎にて

　　　　　　　　　　　　　　　　　　　　　　　　　森田　朗

索引

■ あ行

アーウィック,L.(L.Urwick) ……31
IDカード …… 141
IDカード(マイナンバーカード) … 145
アイデンティティの危機……………33
アウトカム……………………… 199
アウトプット……………………… 199
アカウンタビリティ………………34
天下り……………………… 124, 125
EU(European Union＝欧州連合)……46
違反行為と規制戦略………………… 184
違反行為の動機……………………… 185
入口選抜制……………………… 124
医療行政…………………… 3, 152
インクリメンタリズム(漸増主義)… 166
『インプリメンテーション』
　　(Implementation) …………… 179
ウィルソン,W.(W. Wilson)……………29
ウィルダフスキー,A.(A. Wildavsky)
　………………………………… 179
ウェーバー,M.(Max Weber) …… 77, 78
運用……………………………… 155
AI化 ………………………………93
AI技術 …………………… 142
エージェンシー(agency) ………41, 117
SNS(ソーシャル・ネットワーキング・
　サービス)………………57, 149
エストニア……………………… 146
X-Road ……………………… 147

エビデンス……………………… 173
──に基づく政策決定
　(Evidence Based Policy Making)
　……………………………… 174
炎上……………………… 150
応答責任(accountability) ………56
オープンデータ化……………… 142
オンブズマン………………………34

■ か行

GAFAM………………………26, 149
ガーフィールド大統領暗殺事件……29
会計検査……………………… 129
概算要求……………………… 129
科学的管理法……………… 31, 83
確信犯……………………… 185
閣法……………………… 107
河川行政……………………… 6
活動……………………… 11, 151
活動家……………………………97
ガバナンス(governance) ………… 213
ガバメント(government) ………45
神の見えざる手………………………19
官制大権………………………59
官房学………………………18
官吏……………………… 121
『管理科学論集』……………… 31, 84
官僚支配……………………… 54, 64
官僚制………………………77

索引

——の地盤沈下·················· 211
——の組織的特質··················78
——優位論··················64
官僚の地位に関する特質··················79
議院内閣制·················· 51, 52
機関委任事務制度··················72
技術的優秀性··················82
基準設定·················· 181
基準適用·················· 181
規制緩和··················40
規制行政·················· 157, 181
規則··················91
貴族院··················59
規則化の類型··················92
キャリア·················· 121
ギューリック,L.(L. Gulick)·········· 31, 84
狭義の行政部門··················53
行政改革··················25
——会議·················· 48, 67, 111
行政権の自律性··················61
行政国家·················· 13, 15, 20, 21
行政裁量·················· 188, 189
行政指導·················· 189
行政責任論·················· 33, 55
行政組織··················95
行政手続·················· 57, 138
行政手続法·················· 190
行政統制··················55
行政の限界·················· 179
行政法学··················18
近代民主主義国家··················18
グールドナー,A.(A. W. Gouldner)···82

グッドナウ,F.(F. Goodnow)··········29
国地方関係·················· 50, 51
軍隊型組織··················94
経営学··················31
計画·················· 175
計画行政·················· 176
経済官僚主導論··················64
経済財政諮問会議··················68
経済的誘引提供·················· 158
警察学··················18
計算可能性··················82
ケインズ経済学··················22
結果の判定·················· 200
結果の表現·················· 199
決定··················87
——の自動化··················98
——の前提··················88
——の分業··················89
権威·················· 100
——受容説·················· 100
現代組織論··················86
憲法構造··················59
権力指向者··················97
権力的手段·················· 158
権力分立の原理··················51
小泉内閣··················68
合意形成·················· 170
公共サービス··················38
公共性の意味·················· 214
公権力·················· 215
公式組織··················85
公示形式·················· 155

233

交渉	171
公的個人認証機能	145
合法的支配	78
公務	121
公務員制度	121
合理性の限界	88
効率	30
効率性	183, 197, 198
合理的決定モデル	165
合理的な決定	88
高齢化	209
国営企業の民営化	40
国民の満足度の測定	197
国民の利己的行動	184
国民番号制度	143
国務大臣	61
個人情報保護	148
国家安全保障会議	69
国家公務員法	122
古典的組織論	84
ゴミ箱モデル	167

■ さ行

再就職	124
財政学	18
財政民主主義	128
財務省主計局	130
サイモン,H.(H. A. Simon)	87
サッチャー内閣	35
参加	56
資格任用制(merit system)	29
時間動作研究	84

自己改善	197
事後評価	194
市支配人制	31
指示・命令	89, 90
市場メカニズム	36, 40, 152
事前評価	194
自治事務	73
悉皆性	143
執行活動	179
執政	53
――部門	53
指導	159
自動車行政	4
自動制御	92
市民革命	18
市民参加	57
自民党の一党優位体制	65
事務分掌規程	93
社会管理	212
――の活動	11
――の視点	9
社会システム	151
社会主義	212
――思想	23
社会状況の複雑さと流動性	183
宗教戦争	18
集権	49
自由主義	212
――的理解	187
終身雇用	124
終身性	143
充足モデル	167

周知戦略	185
自由放任主義	19
住民投票制度	58
主権国家システム	46
主体	157
手段	158
出世主義者	97
手動制御	93
主任の大臣	62
少子化	25, 206
情報技術（Information Technology＝IT）	25, 137
情報公開	56
——制度	34
情報提供	158
情報伝達のコスト	91
情報の信号化	98
職業的行政官	53
職能国家（service state）	20
職階制	122
所得の再分配	22, 23
シルバー・デモクラシー	25
新型コロナウイルス感染症	1, 191
新型コロナ感染症対策	10
新公共管理論（New Public Management＝NPM）	41
人口減少	25, 206
人事院	123
人事管理	99
新自由主義	36
新保守主義	24, 35, 36
垂直的調整	109
水平的調整	109
枢密院	59
ストリート・レベルの行政官	182
スミス, A.（Adam Smith）	19
制裁戦略	185
政策	154
政策課題の設定	160
政策過程	159
政策決定	162
政策原案の作成	161
政策研究	34
政策の「執行活動」	155
政策の概念	153
政策の決定	162
政策の構造	156
政策の窓	167
政策の要素	156
政策の粒度	155
政策評価審議会	204
政策評価の要素	196
政策評価法	202
政策目的	156
政治過程の分析	34
政治行政関係	212
——の視点	9, 10
政治行政二分論	30
政治行政分断論	29
政治行政融合論	32
政治主導	65, 211
制止戦略	186
政治的中立性	63, 123
政治的任命職	54, 63

235

生存権の保障……………………22
制度………………………12, 45, 155
政党内閣制………………………60
政党優位論………………………64
政府（ガバメント）……………213
政府体系…………………………45
「政府」の概念…………………45
政府予算案………………………130
政務三役…………………………69
世界大戦…………………………20
セクショナリズム…………96, 103
絶対王政…………………………18
絶対君主…………………………18
説得………………………………159
世論………………………………57
善意の違反者……………………185
1993年の政権交代………………66
選挙制度改革……………………66
専決規程…………………………93
全体の奉仕者………………63, 122
宣伝………………………………159
総合調整…………………………114
族議員……………………………105
組織………………………………11
　　――からの退出………………101
　　――均衡論…………………101
　　――人………………………96
　　――における病理現象……97
　　――人間……………………97
租税法定主義……………………128

■ た行

大恐慌……………………………21
体系性……………………………175
対抗修正…………………………98
大衆民主主義……………………23
対象………………………………157
大統領制……………………51, 52
第二次臨時行政調査会…………40
大日本帝国憲法…………………59
タイムリミット…………………168
第四の権力………………………57
ダウンサイジング…………213, 216
妥協………………………………172
多数決……………………………171
タテの分業………………………89
縦割構造……………………66, 103
多様な利害関係者………………169
単一主権国家……………………48
単独輔弼制………………………59
小さな政府………………………36
地方交付税交付金制度…………72
地方消滅……………………1, 208
地方政府…………………………47
地方創生…………………………74
地方分権改革……………………66
地方分権推進委員会……………73
中央政府…………………………47
中継点の削減……………………98
中枢管理機能…………………67, 114
調整………………………………174
超然主義…………………………60
直接民主主義……………………58

定員削減……………………… 126
テーラー,F.(F. W. Taylor) ……… 31, 83
適応戦略………………………… 185
適法性…………………………… 182
デジタル化………………………43
デジタル庁……………………… 116
天職………………………………79
ドイツ官僚制……………………31
ドイツ法的な「法律による行政の原理」
　（Prinzip der gesetzmaBigen
　Verwaltung）………………… 187
同質性の原理……………………84
統帥権……………………………60
統制範囲の原理…………………84
統治構造…………………………51
独任制…………………………… 169
独立行政法人…………………… 117
独立行政法人制度………………43
都市型社会………………………17
トップ・マネジメント ……… 31, 84

■ な行

内閣官房…………………………67
内閣機能…………………………48
　——の強化………… 66, 67, 111
内閣人事局………………… 69, 127
内閣提出法案…………………… 107
内閣府……………………… 67, 112
内閣法制局……………………… 107
内面的な職業倫理としての責任
　（responsibility）………………56
ナショナル・ミニマム …………23

ナッジ（Nudge）……………… 158
日本官僚制論……………………64
日本国憲法………………………61
日本の政策評価制度…………… 201
人間関係論………………………85
人間行動のシステム……………86
ノイズ……………………………97
農村型社会………………………16

■ は行

バーナード,C.(C. I. Barnard) ………87
橋本内閣………………………… 111
半自動制御………………………92
PDCAサイクル………………… 195
BPR（Business Process Re-engineering
　＝業務過程の再構築）……… 150
非公式組織………………………85
非常時における計画…………… 177
ビッグデータ……………………25
必要性…………………………… 197
評価基準………………………… 197
評価結果の反映………………… 200
評価の主体……………………… 198
評価の対象……………………… 199
評価の目的……………………… 197
不確実性………………………… 168
福祉国家…………………………22
複線的情報経路…………………98
府省間調整……………………… 106
府省共同体………………… 103, 104
府省再編………………………… 112
府省組織の自律性……………… 104

プッシュ型……………………………… 141
フッド,C.(C. Hood) ………………… 179
物理的制御……………………………… 159
プラットフォーマー……………………26, 149
Plan⇒Do⇒Check⇒Action ……… 195
プリンシパル＝エージェント理論……86
プレスマン,J.(J. Pressman) ………… 179
プログラム……………………………… 153
　　――評価……………………………… 194
分権………………………………………49
　　――改革……………………………73
分担管理…………………………62, 103, 105
分離………………………………………49
閉鎖的人事システム…………………… 122
ペンドルトン法…………………………28
法案の作成……………………………… 107
防衛省…………………………………… 112
報告………………………………………90
方針決定………………………………… 181
法治行政の原理…………………… 186, 187
法治国家…………………………………15
法治主義…………………………… 181, 182
法定受託事務……………………………73
法的制約………………………………… 183
法の支配(rule of law) ……………15, 187
法律による裁判………………………… 187
法律の優位……………………………… 187
法律の留保………………………… 187, 188
法令審査………………………………… 107
法令適合性の検証……………………… 197
保身主義者………………………………97
POSDCoRB ………………………………84

ポピュリズム…………………………… 212
本人確認………………………………… 145

■ ま行
マートン,R.(R. Merton) ………………82
マイナンバー…………………………… 143
マニュアル………………………………91
右肩下がりの時代……………………… 208
民営化……………………………… 36, 40
民主主義的理解…………………… 187, 188
民主主義と効率のジレンマ……………29
メイヨー,E.(E. Mayo) …………………85
命令系統一元化の原理…………………84
命令と服従…………………………… 100
メディア(ジャーナリズム)……………57
目的……………………………………… 156
目標の転移(displacement of goals) …82

■ や行
安上がりの政府(cheap government) 19
唯一無二性……………………………… 143
融合………………………………………50
有効性……………………………… 183, 197, 198
優先順位………………………………… 175
歪み………………………………………97
要綱……………………………………… 189
ヨコの分業………………………………89
予算・資源の制約……………………… 183
予測可能性………………………………82

■ ら行
利己主義者………………………… 184, 185

立憲君主制……………………59
立憲主義……………………18
理念型………………………82
了解………………………… 171
猟官制（spoils system） ………28
稟議制……………………… 106
レスリスバーガー,F.（F.J. Roethlisberger）
　………………………………85
連携………………………… 173
連邦制国家…………………48
ロジック・モデル ………… 195
ロックダウン……………… 191

■ わ行
歪曲予防策…………………98

著者紹介
森田　朗（もりた　あきら）

〔略歴〕
東京大学名誉教授。（一社）次世代基盤政策研究所（NFI）代表理事。
1951年、兵庫県生まれ。1976年、東京大学法学部卒。
行政学、公共政策の研究者として、千葉大学法経学部教授、東京大学大学院法学政治学研究科教授、東京大学公共政策大学院教授、同大学院院長、東京大学総長特任補佐、学習院大学法学部教授、国立社会保障・人口問題研究所所長、津田塾大学総合政策学部教授、国立研究開発法人科学技術振興機構（JST）社会技術研究開発センター（RISTEX）センター長等を歴任。

サービス・インフォメーション
ーーーーーーーーーーーーーーーーーーーーーー 通話無料 ーーー
①商品に関するご照会・お申込みのご依頼
　　　　TEL 0120（203）694／FAX 0120（302）640
②ご住所・ご名義等各種変更のご連絡
　　　　TEL 0120（203）696／FAX 0120（202）974
③請求・お支払いに関するご照会・ご要望
　　　　TEL 0120（203）695／FAX 0120（202）973

●フリーダイヤル（TEL）の受付時間は、土・日・祝日を除く
　9：00～17：30です。
●FAXは24時間受け付けておりますので、あわせてご利用ください。

新版　現代の行政〔第2版〕

2017年4月22日　初　版発行
2022年2月22日　第2版発行
2025年5月15日　第2版第3刷発行

著　者　森　田　　　朗
発行者　田　中　英　弥
発行所　第一法規株式会社
　　　　〒107-8560　東京都港区南青山2-11-17
　　　　ホームページ　https://www.daiichihoki.co.jp/

現代行政2版　ISBN 978-4-474-07700-3　C0031　(8)